Najpiękniejsze

BAJKI POLSKIE

Tekst
Marta Berowska
Ilustracje
Grażyna Motylewska

Kochanym Wnuczkom
Mateuszkowi i Michasi,
bajki do poduszki

poleca Babcia Marta

Przemyśl, 14.09.2004r

WILGA

Tekst
Marta Berowska

Ilustracje
Grażyna Motylewska

Projekt okładki
Janusz Obłucki

Redakcja
Małgorzata Jaxa-Małachowska
Iwona Krynicka

Korekta
Iwona Krynicka
Bogusława Jędrasik

Skład i łamanie
Studio Graficzne A. G. Głowienka

WILGA

© Wydawnictwo WILGA Sp. z o.o.
ul. Smulikowskiego 1/3
00-389 Warszawa
tel. 826 08 82   fax 826 06 43
e-mail: wilga@wilga.com.pl

www.wilga.com.pl

Kolejna edycja 2003

ISBN 83-7156-842-8

KWIAT PAPROCI

Dawno, dawno temu, u stóp Babiej Góry, była sobie nieduża wieś. Żył tam Kacperek z matką i dwoma starszymi braćmi. Mieli skromną chatę i małe gospodarstwo, w którym wszyscy zgodnie pracowali. Starsi bracia Kacperka wykonywali najcięższe prace w polu, a Kacperek pomagał matce w domu i w obejściu.

Pewnej wiosny do chaty Kacperka zastukała biedna staruszka. Wszyscy znali ją we wsi i w sąsiednich osadach. Wędrowała ona od domu do domu i wszędzie opowiadała, co też widziała w dalekim świecie. Nazywano ją Babką. Zapraszano do stołu i chętnie słuchano jej opowieści. Także matka Kacperka ugościła Babkę tym, czym mogła. Kiedy byli już po kolacji, Babka siadła przy ciepłym kominie, a Kacper przycupnął u jej kolan.

– Opowiedzcie, Babko, gdzie to ostatnio byliście? – poprosił chłopiec.

– Byłam daleko, aż pod Ślężą Górą – odpowiedziała Babka.

– A coście tam widzieli? – pytał dalej Kacperek.

– Niewiele widziałam, bo mgła zaczarowana oczy mi przesłoniła, ale ludzie powiadali, że w puszczy pod Ślężą w noc świętojańską zakwita kwiat paproci. Byli nawet tacy, co kwiatek widzieli, ale nikt nie miał odwagi zerwać go dla siebie.

– A dlaczego pod Ślężą? A dlaczego się bali? A co by się stało? – dopytywał się Kacper, nie dając Babce dojść do słowa. Kiedy się wreszcie zmęczył pytaniami i umilkł, Babka opowiedziała o tym, jak to kwiat paproci może przynieść szczęście. Może dać bogactwo i spełnić wszystkie marzenia, ale nikt tego kwiatu nie chce. Bo tym szczęściem z nikim nie wolno się podzielić. Nawet z rodziną, nawet z przyjaciółmi. Żebrakowi nie można dać ani grosika, ubogiemu ani kawałka chleba. Trzeba mieć serce z kamienia.

A kto z prostych ludzi ma takie serce? Kto by tak umiał nie słyszeć próśb, nie widzieć ludzkich potrzeb?

– Ja! Ja może bym umiał! – zawołał Kacperek.

Wszyscy popatrzyli na niego ze strachem. Nawet stary Burek drzemiący pod ławą warknął cicho przez sen i się skulił. Tylko matka beztrosko się roześmiała i machnęła ręką:

– Głupstwa gadasz, Kacperku – powiedziała i dołożyła polan do komina.

Przez następne dni Kacper o ni-
czym innym nie myślał, tylko o kwiecie paproci.

Gdyby tak mógł pójść pod Ślężę w noc świętojańską i odnaleźć to
szczęście, już on by się z kwiatem dogadał. Może to wcale nie jest takie trudne? Może wystarczy dobrze udawać, mądrze ukryć przed takim kwiatem to, co by się chciało komuś dać? No, a jeśli nie, to cóż takiego. Cieszyłby się sam swoim szczęściem i już. „Najpierw jednak trzeba" – myślał Kacperek – znaleźć kwiat paproci, potem zaś martwić się o resztę".

Zbliżał się czas wiosennego przesilenia, czyli noc świętego Jana. W tę noc wszyscy, zgodnie z dawnym obyczajem, palą ognie nad wodą i puszczają wianki na rzeczne fale. Młodzież z całej wsi chodziła do lasu po chrust na ogniska i układała wysokie stosy. Łąka nad rzeką przystrojona już była świeżą zielenią, a dziewczęta spacerowały w pachnących wianuszkach, żeby się chłopcom podobać. Potem będą te wianki rzucać do rzeki, zaś chłopcy łowić je i swoim pannom oddawać.

Kacperek nie miał jeszcze ulubionej panny i nic go wianki nie obchodziły. Postanowił pójść do puszczy po zmroku, gdy tylko zapłoną ogniska i zacznie się zabawa. Miał nadzieję, że niezauważony dojdzie przynajmniej pod szczyt Babiej Góry, gdzie rośnie gaj paproci i gdzie cudowny kwiat zdarzyć się może.

Kiedy nadszedł wieczór świętego Jana, Kacper z całą rodziną poszedł nad rzekę. Najpierw pokręcił się to tu, to tam, poskakał przez ogień i pojadł pieczonej kiełbasy. Kiedy nikt już na niego nie zwracał uwagi, oddalił się od ognisk i czmychnął w ciemny las tak, że nikt go nie widział.

Ogarnęła go ciemność, jakby mu kto głowę zakrył kapturem. Im dalej szedł, tym bardziej błądził i ani ścieżki nie widział, ani kierunku nie znał. Rozglądał się za światłem bijącym od kwiatu paproci. Światła jednak nie było, tylko tu i ówdzie błyszczały wśród drzew ślepia dzikich zwierząt. Kacperek zaczął się bać. Nie chciał spotkać wilka, rysia lub inne dzikie zwierzę. Postanowił poszukać jeszcze trochę, a potem przycupnąć pod drzewem i poczekać do rana. I gdy tak szukał sobie bezpiecznej kryjówki, nagle z daleka ujrzał niezwykły blask. Jakby ktoś rozpalił ognisko na leśnej polanie.

Był pewien, że błądząc po puszczy, trafił z powrotem nad rzekę i właśnie widzi dogasające ognie świętojańskie. Im bardziej zbliżał się do światła, tym bardziej przekonywał się, że to nie jest łąka nad rzeką, z której odszedł. Widział rozległą polanę w sercu puszczy, oświetloną teraz i wabiącą nieruchomym dywanem wysokich paproci. To spomiędzy nich wydobywał się tajemniczy blask i Kacperek nabierał pewności, że właśnie znalazł to, czego szukał.

Śmiało wszedł między paprocie, pochylił się nad świecącym przy ziemi kwiatem wielkości lilii i bez chwili zastanowienia zerwał cienką łodyżkę. Potem uniósł kwiat paproci do twarzy i poczuł słoneczne ciepło. Prędko schował go pod koszulę i już chciał odejść, gdy nagle straszny ból przeszył jego serce. Bolała go cała pierś, jakby wbijano w nią setki rozpalonych szpileczek. Rozerwał koszulę i zobaczył, jak maleńkie korzenie, niby ciernie, wbijają się w jego ciało.

– Jestem twoim kwiatem paproci, twoim na zawsze... – szeptała roślina.

Kacperek był tak obolały i zaskoczony, że nawet nie próbował wyrywać korzeni.

– Moim, moim kwiatem – powtórzył bezwiednie i wtedy ból ustał. Chłopiec wyprostował się i już chciał iść do domu, gdy znów usłyszał szept:

– Nie musisz się już wędrować przez las. Możesz pojechać karetą. Ja spełnię każde twoje życzenie.

– Każde moje życzenie? – spytał Kacperek, nie dowierzając. Wtedy przypomniał sobie opowieść Babki o spełnieniu marzeń i bogactwach, którymi nie można się podzielić. Kiwnął więc głową i ogromnie uradowany zawołał:

– Dobrze, niech będzie kareta!

W jednej chwili stanęła przed nim wygodna kareta zaprzężona w dwa białe konie. Wśród lasu zajaśniała droga, której tu wcześniej nie było, a zza drzew wyjrzał księżyc i oświetlił cały trakt. Kacperek chciał wsiąść do pojazdu, gdy nagle uzmysłowił sobie, że jest odziany jak wieśniak i nie będzie pasował do całej reszty.

– Niech bym jeszcze był ubrany jak król! – zażyczył sobie.

Strojny w królewskie szaty, oparty wygodnie na aksamitnych poduszkach, jechał Kacperek przez las. Potem drogą przez rodzinną wieś, której mieszkańcy kłaniali się nisko, podziwiając nieznajomego pana. Kiedy wyjechali na pola, kwiat paproci zapytał:

– Dokąd rozkażesz, Kacperku? Do pałacu czy do zamku? A może od razu do Krakowa na Wawel?

– Nie, nie – powiedział Kacperek. – Wawel należy do króla jegomości, a ja chcę być panem u siebie. Niech będzie pałac z wysoką wieżą i kogutkiem na dachu jak u nas w miasteczku na wieży ratusza.

Kiedy stanęli przy podjeździe do pałacu, był już dzień. Pałacowa służba krzątała się po obejściu. Lokaj w białej liberii podbiegł do karety i kłaniając się nisko, poprowadził Kacperka na pokoje. Było tam wspaniałe łoże dla jaśnie pana, stół zastawiony pysznościami i panny służące, gotowe usługiwać Kacperkowi o każdej porze dnia i nocy.

Kacperek mógł teraz używać do woli wszystkiego tego, o czym do niedawna nawet nie marzył. Na każdy jego rozkaz odbywały się konne gonitwy i polowania, bale i parady wojskowe. Kąpano go w pachnących wodach, perfumowano zamorskimi pachnidłami i przebierano w miękkie jedwabie, które specjalnie dla niego kupcy sprowadzali z dalekich Chin.

Wieść o nowym możnym panu szybko rozeszła się po okolicy. Dotarła i do wioski, gdzie matka Kacperka od wielu dni martwiła się o synka. Czekała, że wróci z lasu, do którego poszedł, nic nie mówiąc nikomu. Kazała starszym braciom szukać go wszędzie, lecz ślad po nim zaginął. Wreszcie bracia wybrali się do nowego pałacu, myśląc, że może zabłądził i przystał tam na służbę.

Kiedy znaleźli się na dziedzińcu, ujrzeli młodego pana w bogatym stroju, jak na srebrzystym koniu wjeżdżał w tłum służby i żebraków, nie zwracając najmniejszej uwagi na to, co się dzieje.

– Skąd ja znam tego panicza? – spytał pierwszy brat.

– I mnie się wydaje znajomy – odpowiedział drugi.

A kiedy się obaj dobrze przyjrzeli, zawołali równocześnie:

– To Kacperek! To nasz brat Kacperek!

Kacperek usłyszał swoje imię i rozpoznał braci. Osadził konia tuż przed nimi.

– Witajcie, moi kochani! Co tam w domu? Matusia zdrowa? – zawołał, zeskoczył z siodła i uściskali się serdecznie.

Bracia opowiedzieli mu o tym jak go szukali, o niepokoju matki i o tym, że jeden z nich lada dzień ożeni się z najpiękniejszą panną z wioski. Kacperek obiecał, że przyjedzie na wesele i poprosił braci, by wracali z dobrą wiadomością do domu.

Kiedy nadszedł dzień ślubu, Kacperek kazał zapakować do wielkiej skrzyni tyle drogich futer, jedwabiu i atłasu, ile się tylko zmieści. Do drugiej nasypał srebra aż po brzegi. Skrzynie kazał wnieść do karety i, zapomniawszy o zakazie dzielenia się bogactwem, wyruszył do swojej wioski.

Ledwie zajechał przed chatę, ujrzał barwny tłum sąsiadów i stół weselny na podwórzu. Skromne to było przyjęcie, ale kapela grała tak radośnie, że nikt nie zwracał na to uwagi. Młodzież tańczyła w tumanie kurzu, a młoda para siedziała przy stole w otoczeniu rodziny i wszyscy wyglądali na bardzo szczęśliwych. Kiedy ujrzeli karetę, kapela umilkła. Wszyscy stanęli jak wryci i tylko matka Kacperka ze łzami w oczach podeszła do syna.

– Witaj matko, witajcie bracia! Patrzcie, co przywiozłem! – cieszył się Kacperek.

Kazał stangretowi wytaszczyć skrzynie na podwórze, potem otworzył je i zaprosił starszego brata, żeby zabrał podarunek do domu.

– Stracisz wszystko, stracisz i mnie... – chłopiec zdążył jeszcze usłyszeć szept kwiatu paproci, ale już starszy brat podbiegł do skrzyń i dotknął jedwabiu. Niczego więcej dotknąć nie zdążył, bo skrzynie zniknęły. Znikła też kareta z końmi i stangretem. Na podwórzu, w otoczeniu gości weselnych, stał bosy Kacperek w podartej koszuli, zmęczony i ubrudzony, jakby nigdy nie był panem, jakby się przez kilka dni włóczył bez celu po lesie.

– Przepraszam, matko, wybaczcie mi wszyscy... – powiedział Kacperek przez łzy i klęknął, żeby ucałować ręce matki.

– Dobrze, że jesteś, syneczku – rzekła matka i przytuliła Kacperka.

Wtedy wszyscy rzucili się, aby go powitać, a bracia zaprosili go do stołu. Tylko stary Burek nie podszedł do swego przyjaciela. Warknął, podkulił ogon i odszedł w głąb podwórza, skąd mógł spokojnie przyglądać się weselnej zabawie.

O KRÓLEWNIE ZAKLĘTEJ W ŻABĘ

Dawno, dawno temu, w dalekim kraju pewien stary król miał trzech synów. Wszystkich kochał jednakowo i nie wiedział, któremu pozostawić królestwo. A czuł, że zbliża się czas wyboru następcy.

Pewnego dnia wezwał królewiczów do siebie i powiedział:

– Synowie moi mili, jestem już bardzo stary, a moje królestwo potrzebuje młodego władcy. Weźcie swoje łuki, idźcie na wieżę zamkową i wypuśćcie strzały w różnych kierunkach. Tam, gdzie upadną, czekają wasze przyszłe żony. Królestwo oddam temu, który przyprowadzi najpiękniejszą i najgospodarniejszą pannę.

Synowie wzięli łuki i posłusznie poszli na wieżę. Najstarszy, Sławko, strzelił ku miastu. Jego strzała utkwiła w oknie bogatego pałacu senatorskiego i dano mu za żonę piękną córkę senatora.

Średni brat, Gniewko, strzelił w kierunku wsi. Jego strzała poleciała nad dwór szlachecki i upadła na malowanym ganeczku. We dworze mieszkała piękna szlachcianka, którą z radością oddano Gniewkowi za żonę.

Najmłodszy królewicz, Bolko, wypuścił swą strzałę ku lasom. Strzała upadła wśród bagien i Bolko długo przedzierał się przez podmokłe kępy traw, by ją odzyskać. Nie spotkał tu jednak pięknej leśniczanki, o której marzył. Na kamieniu, przy którym upadła strzała, siedziała zielona jak trawa żabka i spoglądała na Bolka ciekawie.

Królewicz Bolko już chciał odwrócić się i odejść, gdy wtem żaba odezwała się ludzkim głosem:

– Nie odchodź, królewiczu. Spełnij życzenie starego króla i weź za żonę tę, którą wskazała ci strzała.

Zdziwiony Bolko pochylił się nad żabą:

– Jakże ja mógłbym ożenić się z tobą? Jesteś zwykłą żabą i twoje miejsce jest tu, wśród bagien, jezior i ostępów leśnych, a nie w pałacu.

– Nie jestem zwykłą żabką, królewiczu. Tylko mnie stąd zabierz, a sam się przekonasz – powiedziała żaba i rozpłakała się.

Bolkowi zrobiło się żal zwierzątka. Wziął delikatnie żabkę, wsunął ją do rękawa i wrócił do zamku.

Po kilku dniach król znowu wezwał synów do siebie i powiedział:

– Wiem już, że każdy z was cieszy się szczęściem u boku młodej żony, ale ja chciałbym sprawdzić, która z nich najlepiej nadaje się na królową. Niech więc staną do pierwszej próby. Pragnę, aby każda utkała kobierzec. Zamówcie skrzynie z wełną i niech moje synowe biorą się do pracy.

Sławko i Gniewko zamówili wełnę, sprowadzili krosna i poprosili swoje żony, by tkały najpiękniej, jak tylko potrafią. Bolko wrócił do siebie smutny. Usiadł przy cebrzyku z błotem, w którym mieszkała żabka i westchnął ciężko.

Żaba wychyliła głowę z cebrzyka i zaskrzeczała:

– Nie martw się, królewiczu, wiem o pierwszym królewskim zadaniu dla mnie. Każ mi przynieść tu kolorową wełnę i jedź na polowanie.

– Jakże ty, żabko, chcesz utkać kobierzec? – spytał Bolko zdumiony.

Żabka uśmiechnęła się i powiedziała:

– To moja tajemnica. Kiedy wrócisz, dywan będzie gotowy i będzie najpiękniejszy.

Bolko posłuchał żabki i pojechał do puszczy. A żabka przybrała ludzką postać, wezwała swoje przyjaciółki wróżki i przy ich pomocy utkała najpiękniejszy kobierzec.

Dzieło żabki tak się królowi spodobało, że kazał je sobie powiesić w komnacie. Zaraz też poprosił, by synowe stanęły do drugiej próby i by mu upiekły słodki pieróg z rodzynkami.

Starsi bracia natychmiast poprosili swoje żony o upieczenie pierogów, a zmartwiony Bolko długo chodził po parku, a potem poszedł do żabki i ciężko usiadł przy cebrzyku z błotem.

– Nie martw się, królewiczu – rzekła tylko żabka i zażądała tuzina jaj, mąki, miodu i rodzynek. Potem kazała Bolkowi jechać na polowanie i, tak jak poprzednio, przybrała ludzką postać i wezwała do pomocy przyjaciółki wróżki.

W całym zamku pachniało jak w cukierni. Synowe króla umiały sporządzać doskonałe wypieki. Żaden nie był przypalony, nigdzie ani śladu zakalca. Król skosztował każdego z nich, ale pieróg żabki smakował mu najbardziej. Tak się w nim rozsmakował, że w pewnej chwili zawołał:

– Zabierzcie te pyszności, bo się rozchoruję z przejedzenia!

Wreszcie król zapragnął poznać swoje synowe. Był pewien, że każda jest piękna, gospodarna i wesoła. Pragnął jednak wiedzieć, która z nich najpiękniej tańczy, bo królowa musi umieć tańczyć lekko jak ważka. Zaproszono więc gości i zamówiono orkiestrę.

Młode żony starszych królewiczów natychmiast zaczęły sposobić się do balu. Szyły suknie, haftowały gorsety i trefiły fryzury, żeby olśnić starego króla. Tylko królewicz Bolko się nie cieszył – nie wyobrażał sobie tańca z żabą w objęciach. Usiadł przy cebrzyku i zapytał:

– W co się ustroisz, żabko, na bal? W koronki czy w jedwabie? Chyba będę musiał wyznać królowi całą prawdę o tobie.

– Nie martw się królewiczu – powiedziała żabka. – Zobaczysz, jeszcze będziesz ze mnie dumny...

Bolko znów pojechał na polowanie. Wrócił tuż przed balem i ledwie zdążył się ubrać w uroczysty strój, gdy spadł rzęsisty deszcz. W sali balowej grała orkiestra, goście przechadzali się po wspaniałych tarasach. Starsi bracia już zaprezentowali królowi swoje piękne żony, a Bolko wciąż stał nad cebrzykiem i pytał:

– Czy już jesteś gotowa, żabko? Czy już mogę cię stąd zabrać?

– Idź sam do króla – powiedziała żabka. – Powiedz mu, że kiedy pada deszcz, myję się. A kiedy zagrzmi, wybiegnij przed zamek i powitaj mnie na schodach.

Królewicz Bolko poszedł do króla i rozłożył ręce w bezradnym geście.

– Wciąż czekam na moją trzecią synową – ponaglał król.

– Moja żona już się myje... – powiedział królewicz.

Wtedy zagrzmiało i nad zamkiem rozpętała się burza z piorunami. Bolko wybiegł na schody i ujrzał zajeżdżającą złotą karetę. Podbiegł do drzwiczek i wyprowadził z karety tak piękną królewnę, że na jej widok wszyscy wstrzymali oddech. Jej suknia lśniła, a diamenty w złotych włosach mieniły się tęczowo.

– Oto moja żona – powiedział Bolko, stając przed królem.

Król z zachwytu aż wstał z tronu i ukłonił się, zapominając, że to jemu pierwszemu kłaniają się wszyscy. Potem zatańczył pierwszy taniec z królewną. Nigdy wcześniej nie spotkał nikogo, kto by tańczył równie lekko.

W czasie trwania balu jedna z królewskich pokojówek weszła do Bol-
kowej komnaty, żeby posprzątać. Jakież było jej zdumie-
nie, gdy na podłodze zobaczyła żabią skórkę. Zgar-
nęła ją na szufelkę i szurnęła do pieca. Potem zabrała ce-
brzyk do ogrodu i wyrzuciła błoto między grządki sałaty.

Młodzi tańczyli do białego rana i nic nie przeczuwali.
Kiedy wrócili do komnaty, Bolko zauważył porządek
i ucieszył się.

– Teraz, moja miła, odpoczniemy wreszcie od błota i zapachu bagna w komnacie!
– zawołał z ulgą.

Królewna jednak niespokojnie rozglądała się po komnacie, jakby czegoś szukała.

– Och, gdzie jest moja żabia skórka? – zapytała.

Ledwie wypowiedziała te słowa, w komnacie zrobiło się ciemno, a królewna zamieniła się w dziką kaczkę i odleciała przez uchylone okno.

– Co tu począć? Co począć? – rozpaczał królewicz.

Długo tęsknił za swoją królewną zaklętą w żabę, a teraz
w ptaka. W końcu dosiadł konia i popędził przez bagna nad
szeroką wodę, gdzie gniazdują latem dzikie kaczki.

Jechał przez las kilka dni, tygodni, miesięcy.
Wychudł, na twarzy sczerniał, konia zmęczył,
aż wreszcie pewnego ranka ujrzał przy ścieżce domek na kurzej stopce. W domku
mieszkała mądra, ale i zła Baba Jaga,
ona jedna mogła wiedzieć, dokąd
odleciała zaczarowana królewna.

Jeśli królewiczowi uda się ją
ubłagać, kto wie?, może mu po-
może, może powie, jak odzyskać ukochaną...

Bolko z nadzieją zapukał do dębowych drzwi, a kiedy czarownica stanęła w progu, powiedział:

– Proszę, Babo Jago, ulituj się i zdradź mi miejsce, gdzie odnajdę królewnę żabkę.

Baba Jaga popatrzyła na zmęczonego młodzieńca, podrapała się po siwej głowie i chropawym głosem wymruczała:

– Już ją znalazłeś, królewiczu. A teraz, jeśli ją złapiesz, będzie twoja.

Bolko wszedł do izby i zobaczył duże, dymiące palenisko. Za paleniskiem stała szeroka ława, a na niej drzemali czarny kot i dzika kaczka. Na widok królewicza kaczka poderwała się z wielkim krzykiem, ale on był szybszy. Podskoczył, chwycił ptaka w locie za skrzydło i przygarnął do mocno bijącej piersi.

– Już cię nie puszczę! Nie puszczę! – zawołał.

Wtedy czar prysł. Królewna stała, drżąc w ramionach Bolka i ocierała łzy.

– O, mój miły, mój najmilszy – szeptała. – Już na zawsze zostaniemy razem.

Baba Jaga nie mogła znieść widoku dwojga szczęśliwych ludzi. Chwyciła swoją miotłę i odleciała przez dymiący komin. Bolko wyprowadził królewnę z domku na kurzej nóżce i chciał posadzić na konia. Wtedy nagle jego koń stanął w zaprzęgu z innymi, czarodziejskimi rumakami. Przed nimi stał złocisty powóz gotowy do dalekiej drogi. Stangret z uśmiechem zaprosił ich do środka i powiózł tęczowym mostem prosto do zamku starego króla.

Król uznał, że najwspanialszą żonę wybrał sobie najmłodszy królewicz i właśnie jemu oddał królestwo. Starsi bracia, choć niechętnie, przyznali królowi rację i wszyscy żyli w zgodzie przez długie, długie lata.

SZEWCZYK DRATEWKA

Dawno, dawno temu wędrował po świecie młody szewc Dratewka. Chodził od wsi do wsi i za skromne miedziaki łatał ludziom buty najlepiej jak umiał. Pewnego dnia szedł przez las i zobaczył zniszczone mrowisko. Biedne mrówki biegały dookoła i nie mogły poradzić sobie z nieszczęściem.

„Pewnie niedźwiedź tu grasował", pomyślał szewczyk.

Zdjął z głowy kapelusz i troskliwie zagarnął nim mrowisko z powrotem na kupkę. A wtedy na szczyt mrowiska wyszła sama królowa mrówek, skłoniła głowę przed szewczykiem i powiedziała:

– Dziękujemy ci, dobry człowieku. Jeśli kiedyś będziesz w potrzebie, my na pewno przyjdziemy ci z pomocą.

Szewczyk uśmiechnął się tylko, bo jakiej to pomocy mógłby się spodziewać od mrówek i poszedł dalej. Nie zdążył nawet wyjść z lasu, gdy na jednym z pni dębowych zobaczył rozdartą barć. Pachnący słodko miód ciekł po pniu, a zdenerwowane pszczoły nie wiedziały, jak ratować choćby resztki zapasów.

„I to niedźwiedzia sprawka", pomyślał szewczyk. Zebrał miód dłonią i umieścił w barci, a rozdarty otwór zalepił woskiem. Wtedy na skraju dziupli pojawiła się królowa pszczół i powiedziała:

– Dziękujemy ci, dobry człowieku. Pamiętaj, gdy będziesz kiedyś w potrzebie, my przyjdziemy ci z pomocą.

Szewczyk uśmiechnął się tylko, bo jakiej to pomocy mógłby się spodziewać od pszczół i poszedł dalej. Wkrótce dotarł nad jezioro, usiadł na brzegu i wyjął swój ostatni kawałek chleba, żeby się posilić. Z trzcin wypłynęły dzikie kaczki, zaczęły łakomie spoglądać na chleb. Dratewka sprawiedliwie podzielił się z ptakami, a kiedy zjedli już wszystko, do brzegu podpłynął najstarszy w stadzie kaczor i powiedział:

– Dziękujemy ci, dobry człowieku. Pamiętaj, gdy będziesz kiedyś w potrzebie, my przyjdziemy ci z pomocą.

Szewczyk uśmiechnął się tylko, bo jakiej to pomocy mógłby się spodziewać od dzikich kaczek i znów powędrował dalej.

Następnego dnia dotarł do miasteczka leżącego u podnóża ogromnego zamku. W miasteczku na rynku było targowisko. Stały tu kramy pełne chleba i mięsiwa, na innych piętrzyły się sterty warzyw i owoców, a w podcieniach domów znajdowały się sklepiki i warsztaty miejskich rzemieślników. Dratewka był głodny, stanął więc obok kramu z bułeczkami i kupił sobie za dwa grosze słodki precelek z makiem.

– A kto to mieszka w tym zamku? – zapytał przekupkę, pogryzając precelek i wskazując palcem na ponurą budowlę górującą nad miastem.

– Zła czarownica od lat więzi tam królewnę. Nikt nie potrafi wiedźmy przechytrzyć i królewny uwolnić – odpowiedziała przekupka i zajęła się układaniem swego towaru.

Szewczyk poszedł pod zamek i tu zobaczył kilku rycerzy na koniach. Rycerze rozprawiali o tym, jak to dzielny, młody kasztelan poszedł do zamku ratować królewnę i już nie wrócił.

– Czarownica urywa głowy... Wszystkim śmiałkom urywa głowy... – szeptali rycerze ze zgrozą i żaden nie miał odwagi ruszyć królewnie na pomoc.

Dratewka się nie namyślał, podszedł do drewnianych wrót, ujął żelazną kołatkę i zakołatał głośno. Po chwili w drzwiach ukazała się straszna czarownica, spowita w czarną chustę. Wpuściła Dratewkę na dziedziniec i bez słowa zaprowadziła do zakratowanej komnaty na szczycie wschodniej wieży. Stał tam kosz maku zmieszanego z piaskiem. Czarownica zamknęła szewczyka na klucz i przez szparę w drzwiach wyszeptała:

– Proszę pięknie pana, przebrać to do rana, chi chi...

Dratewka wziął się do pracy, ale bardzo prędko zrozumiał, że do rana nie zdąży.

Zapadła noc, a w izbie było ciemno. Szewczyk już zaczynał bać się nie na żarty, gdy nagle usłyszał dziwne szuranie.

Przez szparę w drzwiach wbiegły mrówki i zabrały się do dzieła. Po godzinie mak leżał na jednej kupce, a piasek na drugiej. Małe mrówki poszły sobie równie cicho tak przyszły, a zadowolony Dratewka oparł się o pusty kosz i zasnął.

O świcie wiedźma otworzyła drzwi z hałasem. Widząc mak oddzielony od piasku i śpiącego spokojnie szewczyka, aż zatrzęsła się ze złości.

– Udało mu się – syknęła przez zęby.

Potem obudziła Dratewkę. Kazała mu iść nad jezioro i w głębinach odnaleźć złoty kluczyk do komnaty, który królewna zgubiła, spacerując nad wodą. Dała mu czas do zmroku, zapowiedziała, że jeśli nie wykona zadania, zrobi z nim to, co już zrobiła z wieloma innymi śmiałkami.

– Jeszcze nie nadeszła pora... Znajdź mi kluczyk do wieczora – złowrogo wymruczała wiedźma i wyprowadziła Dratewkę za wrota zamku.

Szewczyk poszedł nad jezioro i ciężko usiadł na brzegu. Zastanawiał się, gdzie zacząć poszukiwania, gdy nagle pojawiły się dzikie kaczki. Kaczor podpłynął do brzegu i zapytał:

– Co cię tak zmartwiło, przyjacielu?

Dratewka wyznał, jakie ma zadanie, dodał, że nie umie pływać, więc na pewno sam zguby nie znajdzie. Wtedy kaczor poprosił rybki, żeby szukały po całym stawie, w mule i wśród kamieni. Po godzinie mała rybka znalazła klucz i podała go żabce. Żabka podała klucz kaczorowi, a kaczor Dratewce.

– Oddaj klucz wiedźmie i niech ci się dobrze wiedzie – powiedział kaczor i popłynął do swojego stada.

Szewczyk pięknie podziękował, wrócił do zamku i oddał kluczyk wiedźmie.

Czarownica była zdumiona, że poszło mu tak gładko, ale nie dała niczego poznać po sobie. Zaprowadziła Dratewkę po schodach na wysoką wieżę, skąd rozpościerał się widok na całą okolicę. Widać było gwarny rynek pod zamkiem i jezioro, znad którego szewczyk dopiero co wrócił.

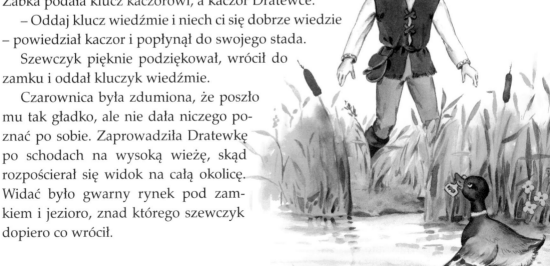

„Co ta wiedźma jeszcze wymyśli, żeby mnie skrzywdzić, a królewny nie wypuścić?", myślał Dratewka, rozglądając się po okolicy. Wtedy zgrzytnął klucz w zamku i czarownica wprowadziła go do małej komnaty w bocznej ścianie wieży.

Komnata była ciemna, z maleńkim zakratowanym okienkiem. Szewczyk poczuł się bardzo nieswojo. Pomyślał ze współczuciem o królewnie, która w tej komórce musiała przesiedzieć wiele lat, czekając na wybawcę.

Czarownica wyszła, a po chwili wróciła z lampą naftową. Powiesiła ją pod sufitem i wtedy Dratewka ujrzał trzy nieruchome postacie, siedzące na ławie pod ścianą.

– Kto tu jest? – zapytał głośno, ale wiedźma kazała mu milczeć.

– Na tej ławie siedzą trzy panny, wszystkie jednakowe, wszystkie na zbawcę czekające, ale tylko jedna jest królewną – powiedziała wiedźma i zaczęła chichotać. – Jak myślisz, która?

Rzeczywiście, trzy postacie były jednakowej wielkości, zasłonięte jednakowymi chustami. Nie było widać twarzy ani rąk. Ani choćby czubka trzewika. Dratewka przyglądał się im i przyglądał, ale nie znalazł żadnego drobiazgu, którym królewna mogłaby się różnić od pozostałych.

– Jak nie wskażesz królewny, mój panie, to ci łeb urwę – powiedziała wiedźma i stanęła pod ścianą, by obserwować Dratewkę i panny siedzące na ławie.

Zegar na miejskiej wieży odmierzył jedną godzinę, potem drugą. Szewczyk stał bezradny i przerażony, a postacie na ławie ani drgnęły. Gdyby któraś dała najmniejszy chociaż znak, gdyby poruszyła się lekko na ławie albo nieznacznie skinęła głową, Dratewka wiedziałby, którą wskazać. Nic takiego się nie stało. Minuty płynęły jak godziny i Dratewce zdawało się, że stoi tu całą wieczność.

W pewnej chwili zza okratowanego okienka dobiegł delikatny szmer. Dźwięk miły i znajomy, choć Dratewka nie od razu uświadomił sobie, co to tak brzęczy.

– Pewnie w głowie mi brzęczy ze zmęczenia – wyszeptał i zrobiło mu się żal, że będzie musiał się z tą głową rozstać.

A brzęczenie narastało i nagle szewczyk przypomniał sobie pszczoły, które latały wokół zniszczonej barci. Tak, to one tak brzęczą, gdy lecą całym rojem. Cóż, nie wierzył mrówkom, że pomogą, a pomogły. Nie wierzył kaczkom, że pomogą, a jednak dzięki nim stoi tu cały i zdrowy. Czyżby i te małe istoty miały mu teraz pomóc?

Dratewka nie zdążył sam sobie odpowiedzieć, gdy przez małe okienko zaczęły wlatywać owady. Za królową matką zdążało chyba ze sto pszczół robotnic. Wszystkie przeleciały tam i z powrotem nad głowami siedzących postaci, wreszcie zatrzymały się nad ostatnią dziewczyną w szeregu i utworzyły nad jej głową brzęczący pszczeli wieniec. Pobrzęczały jeszcze chwilę i znikły za królową matką równie szybko, jak się pojawiły.

Na to tylko czekał Dratewka. Skoczył do ostatniej panny i zerwał jej zasłonę.

– Ta jest królewną z wieży! Ta jest! – zawołał.

Królewna poderwała się z ławy i zarzuciła szewczykowi ręce na szyję.

– O mój ty jedyny! Mój najukochańszy! – cieszyła się.

Dratewka przytulił królewnę, odgarnął jej z czoła złote włosy. A wiedźma ze strasznym krzykiem podskoczyła ku okienku. Zamieniła się w wielką wronę i odleciała, kracząc głośno. Dwie inne postacie z ławy, kumotrzyce wiedźmy, też zatrzepotały skrzydłami i podążyły za wroną jako sroki.

Przez trzy dni i trzy noce mieszczanie świętowali uwolnienie królewny. Dratewkę okrzyknięto nowym królem i oddano mu zamek we władanie. Mieszkał tam i panował sprawiedliwie przez wiele, wiele lat. Do dziś starzy ludzie wspominają króla, który nigdy nikomu nie odmówił pomocy i nad każdą biedą się pochylił...

ZŁOTA STUDZIENKA

Dawno, dawno temu, w chatce za wsią, mieszkała uboga wdowa z córeczką Marysią. Miały małe gospodarstwo i krówkę Łaciatą, która dawała im codziennie skopek słodkiego mleka. Pracowały ciężko, aż do pewnej jesieni, gdy wdowa zachorowała i nie miała sił, żeby wyjść w pole. Marysia postanowiła udać się do bogatej sąsiadki i prosić o pomoc.

– Pożyczcie mi, proszę, dwa dukaty na lekarstwa dla matusi – błagała.

– Pożyczę ci, ale mi oddasz w zastaw wasze gospodarstwo – odparła sąsiadka.

Marysia zgodziła się i wzięła dwa dukaty, jednak jej matce lekarstwa nie pomogły. Zanim nadeszła zima, umarła. Wtedy chciwa sąsiadka wezwała zapłakaną sierotę i powiedziała:

– Sama nie spłacisz, Marysiu, dwóch dukatów długu. Zabieram twoje gospodarstwo i ciebie do pracy. Możesz przyprowadzić krówkę Łaciatą do mojej obory.

Marysia zabrała krówkę i trochę swoich rzeczy, a po pogrzebie matki zamieszkała u sąsiadki na dobre. Sąsiadka miała dwie córki, Józię i Fruzię. Obie były tłuste i leniwe. Niczego nie umiały zrobić porządnie, a czego by nie tknęły, to zaraz popsuły. Umiały za to jeść do syta i dokuczać Marysi. Kazały jej sprzątać po sobie i cerować swoje podarte sukienki, a wieczorem wyganiały do obory, żeby czyściła krowy słomą i doiła je. Marysia pracowała całymi dniami, a wieczorem przytulała się do swojej Łaciatej i skarżyła się cicho:

– Jakże mi ciężko bez matusi. Dobrze, Łaciata krówko, że mam chociaż ciebie i możemy pobyć trochę razem – mówiła. A krówka trącała ją przyjaźnie swoim aksamitnym nosem i Marysi robiło się trochę lżej na sercu.

Po długiej, smutnej zimie nadeszła wreszcie wiosna, zazieleniły się łąki. Gospodyni kazała Marysi wyprowadzać krowy na pastwisko pod lasem i pilnować ich, by w szkodę nie weszły. A żeby się sierocie przy pasaniu nie nudziło, dała jej wielki kłąb wełny i kądziel.

– Masz mi to uprząść do wieczora, bo jak nie, to ci Łaciatą odbiorę – powiedziała, choć tak naprawdę myślała: „Nie uprzędzie, dziewuszysko, i będę miała pretekst, żeby ją z domu wyrzucić...".

Poszła Marysia z krowami na łąkę, stanęła przy Łaciatej i zapłakała:

– Jakże ja to uprzędę? Przecież tu jest pracy na trzy dni!

– Daj mi wełnę na rogi, pomogę ci – powiedziała wtedy Łaciata ludzkim głosem.

Marysia przestraszyła się, ale krówka tak usłużnie nadstawiała łeb, że dziewczynka posłuchała i upięła wełnę na krowich rogach. Łaciata zaczęła kiwać łbem i roztrząsać wełnę. Już dawno Marysi tak się dobrze nie przędło. Do południa cztery wrzeciona zapełniła gładką, siwą nicią. Jeszcze się krówka zdążyła napaść do woli, a Marysia odpocząć. Nazbierała poziomek na skraju lasu, uplotła wianek z polnych kwiatów i nasłuchała się skowronków, które jej śpiewały nad głową.

Kiedy wieczorem wróciła z pastwiska, gospodyni nie mogła się nadziwić, że Marysia sama krów dopilnowała i taką dużą pracę wykonała.

– Dobra prządka z tej Marysi, nić spod jej ręki gładka i jednolita – szeptała gospodyni sama do siebie i kręciła głową.

Następnego dnia znowu kazała dziewczynce iść na pastwisko, ale dała jej jeszcze więcej wełny do przędzenia. Ledwie Marysia wyszła za próg, ledwie stado zniknęło za pagórkiem, gospodyni zawołała swoją starszą córkę, Józię, i powiedziała:

– Idź, córeczko, za Marysią i patrz, jak to ona swoją pracę wykonuje. Jakoś wierzyć mi się nie chce, że z niej taka dobra robotnica...

– Dobrze, matko – odpowiedziała Józia i na łąkę pobiegła.

19

Doszła Józia za Marysią pod las, na pastwisko. Zmęczyła się i zadyszała, bo nie była przyzwyczajona do dalekich spacerów. Usiadła pod krzakiem malin i patrzy. A tu krowy się pasą, Marysia tuż przy Łaciatej kądziel ustawia i sposobi się do pracy.

– Nudno tu – ziewnęła Józia. – Ech, jeszcze mnie muchy pogryzą...

A Marysia, która czuła, że nie powinna ufać głupiej Józi i pokazywać jej czarów Łaciatej, nachyliła się do ucha dobrej krówki i ze strachem w głosie spytała:

– Jakże ja mam, krówko Łaciata, dać tobie wełnę na rogi, o pomoc cię prosić, kiedy Józia wszystko widzi i na pewno opowie gospodyni?

– Zaśpiewaj kołysankę, Józia zaraz zaśnie – odpowiedziała mądra krówka.

"Zaśnij, zaśnij Józiu, luli, luli laj,

a ty jej, wietrzyku, do snu, do snu graj..."

Powtórzyła Marysia kołysankę kilka razy i Józia zasnęła. Wtedy dziewczynka nałożyła wełnę krówce na rogi i zabrała się do pracy. I tak jak poprzedniego dnia, do południa uwinęła się z robotą. Sześć wrzecion zapełniła siwą nicią i, nim Józia wstała, krówka zdążyła najeść się koniczyny do syta, a Marysia odpocząć w cieniu.

Kiedy słońce chyliło się ku zachodowi, Marysia obudziła Józię i razem z krowami wróciły do domu. Gospodyni obejrzała sześć wrzecion pełnych nici i znów pokręciła głową z niedowierzaniem. Wzięła Józię na bok i zapytała:

– Widziałaś to, córeczko, jak Marysia pracowała, wełnę przędła?

– Nie widziałam, matusiu, bo mnie wiaterek uśpił – odpowiedziała Józia.

Gospodyni zaczerwieniła się ze złości, na Józię nakrzyczała, ale sierocie nic nie powiedziała. Następnego dnia dała Marysi jeszcze więcej wełny i wysłała na pastwisko swoją młodszą córkę, Fruzię.

Fruzia powlokła się leniwie za Marysią i krówkami. Z trudem doszła na pastwisko, zmęczona i zdyszana, bo tak jak jej starsza siostra, nigdy daleko od domu nie odchodziła. Położyła się pod krzakiem malin i zamknęła oczy. Wtedy Marysia zaśpiewała swoją kołysankę:

„Zaśnij, zaśnij Fruziu, luli, luli laj,
a ty jej, wietrzyku, do snu, do snu graj...”

Po kilku minutach Fruzia smacznie spała, a Marysia z Łaciatą zabrały się do pracy. Do południa uprzędły dziesięć wrzecion i jeszcze się krówka zdążyła napaść do syta, a Marysia odpocząć.

Wieczorem gospodyni wzięła Fruzię na bok i spytała:

– Widziałaś, córeczko, jak Marysia pracowała?

– Nie widziałam matusiu, bo mnie wiaterek uśpił – odpowiedziała Fruzia.

Gospodyni tylko się zatrzęsła ze złości i postanowiła, że następnego dnia sama pójdzie za Marysią na pastwisko i zobaczy, jak pracuje.

Kiedy dziewczyna wraz z krowami oddaliła się od domu, gospodyni nie zauważona przez nikogo poszła pod las i ukryła się za krzakami malin. Nikt jej nie widział, nikt nawet nie przeczuwał jej obecności. Marysia z Łaciatą prędko uwinęły się z robotą. Kiedy skończyły, gospodyni wyskoczyła zza krzaków i zawołała:

– Ty oszustko! Ty darmozjadzie! To tak pracujesz? Jeszcze się krową wysługujesz? No, to ja ci odpłacę! Zobaczysz!

Nazajutrz wezwała silnych chłopów ze wsi. Kazała im zabić Łaciatą i poćwiartować na mięso. Marysi oddała tylko rogi i kazała zakopać pod płotem. Sierota ze łzami w oczach poszła po łopatkę. Wykopała dołek i troskliwie ułożyła w nim rogi swojej krówki. Potem płakała przez całą noc, bo była bardzo nieszczęśliwa.

Gdy rano gospodyni wyjrzała przez okno, ujrzała pod płotem przedziwną studnię. Miała złotą cembrowinę i złoty kołowrót, a na złotym sznurze kołysał się złoty kubek. Gospodyni wybiegła z chaty i podeszła do studzienki. Nachyliła się nad nią i poczuła aromat przedniego wina. Cóż to? W studni nie woda, lecz słodkie wino!? A to dopiero!

Gospodyni obudziła córki. Uradowane nowym bogactwem, zaczęły radzić, jak zarobić na tym cudzie. Marysia zaś usiadła przy studzience, bo wyrosła ona w miejscu, gdzie zostały zakopane rogi Łaciatej krówki. Domyślała się, że to dar dla niej, a nie dla gospodyni i jej córeczek.

Tymczasem w chacie gospodyni wraz z córkami uradziły, że będą sprzedawać wino po dukacie za kubek. Jak im dobrze pójdzie, to założą gospodę i jeszcze zajazd pobudują. Będą miały pokoje dla najlepszych gości, stajnię pełną silnych koni i powóz na sześć osób. Staną się bogate niby księżniczki. A Marysia będzie u nich za praczkę i pokojówkę albo się ją w świat wygoni.

Jak uradziły, tak ogłosiły w całej wsi. Zeszli się biedni ludzie i przyglądali się złotej studzience, bo takich cudowności jeszcze nie widzieli. Chcieli się napić niezwykłego wina, ale nie mieli dukatów, więc tylko nachylali się nad studnią i podziwiali wspaniały aromat.

Wreszcie do studzienki podszedł młody młynarz, który niedawno pobudował młyn nad rzeką i dobrze mu się wiodło. On jeden jedyny miał dukata i mógł zapłacić za wino. Zdjął kapelusz, ukłonił się grzecznie i powiedział:

– Nalejcie mi, gospodyni, kwaterkę trunku.

– A proszę, proszę... – powiedziała gospodyni, zerkając łakomie na dukata, co pobłyskiwał w dłoni młynarza.

Podeszła do błyszczącego kołowrotu, zakręciła raz i drugi, i trzeci. Nie udało się. Złoty kubek się nie napełnił.

Gospodyni zawołała do pomocy Józię i Fruzię. Kręciły we trzy, spociły się, zziajały i dalej nic. Ani kropli wina nie wyciągnęły.

– Co to się dzieje?! – wołała gospodyni zawstydzona, bo ludzie zza płotu już zaczęli się śmiać i drwić z niej coraz głośniej.

Wtedy młody młynarz poprosił, by każda z dziewcząt mieszkających we wsi spróbowała szczęścia.

– Tak coś czuję – tłumaczył – że która wina z tej studni mi przyniesie, ta będzie moją żoną...

Gospodyni, choć niechętnie, pozwoliła pannom podejść do kołowrotu. Jednak żadnej nie udało się sięgnąć po cudowny trunek. Kiedy już wszystkie spróbowały swoich sił, młynarz stracił cierpliwość. Włożył kapelusz z piórkiem na głowę i odwrócił się, by odejść. Wtedy ktoś zauważył Marysię i zawołał:

– Jeszcze jedna panna musi spróbować! Jak wszystkie, to wszystkie!

– Przecież to tylko pastuch i dojarka! – zawołała gospodyni oburzona, ale młody młynarz już szedł ku Marysi i dłoń wyciągał.

Skoczyła dziewczyna do cembrowiny, jednym ruchem opuściła złoty sznur, wydobyła złoty kubek pełen wina i podała młynarzowi. Młodzieniec dotknął wargami brzegu kubka, łyknął wina i popatrzył Marysi głęboko w oczy. Dostrzegł w niej najpiękniejszą dziewczynę. Zakochał się w Marysi, tak że nie mógł od niej oczu oderwać. Dla animuszu łyknął jeszcze dwa łyki i odstawił kubek. Potem przyklęknął na jedno kolano i poprosił:

– Zostań moją żoną, Marysiu. Zamieszkaj we młynie. Niczego ci już nie zabraknie.

Gospodyni zaczęła protestować, że to niby Marysia u niej służyła i coś jej się za to należy. Jednak ludzie zza płotu ją wyśmiali, a Marysia zgodziła się, choćby zaraz, zostać żoną młynarza. Wtedy ze złotej studzienki wyszła krówka Łaciata. Cała i zdrowa, podeszła do Marysi i trąciła ją przyjaźnie w ramię aksamitnym pyskiem.

Po dwóch dniach odbyło się wesele. Marysia żyła ze swoim młynarzem długo i szczęśliwie, a krówka Łaciata pasła się nad rzeką koło młyna przez wiele, wiele lat.

O DWUNASTU MIESIĄCACH

Dawno, dawno temu, w chacie na skraju wsi, mieszkała bogata wdowa z córką i pasierbicą. Ludzie we wsi lubili pasierbicę, bo była pracowita i uśmiechała się do wszystkich. Nazywali ją Kasią. Córki zaś nie lubili, bo ciągle dokuczała innym. Zawsze niedomyta i potargana, siedziałaby tylko przy stole i jadła wszystko, co jej pod rękę wpadnie. Nazywano ją Córeczką, bo i wdowa tak do niej czule przemawiała.

Kasia całymi dniami pracowała w polu i w gospodarstwie, a Córeczka wylegiwała się do południa, a gdy wreszcie wstała, tylko dokuczała Kasi.

– Daj mi ciasta, kocmołuchu! – wołała spod pierzyny, a kiedy jej Kasia podawała talerzyk, wystawiała nogę z pościeli i kopała ją, udając, że to przypadkiem.

Kasia nie zwracała uwagi na psikusy Córeczki, tylko robiła, co do niej należało. Za to ją macocha szczerze znielubiła i pewnego dnia pomyślała, że najlepiej byłoby pozbyć się Kasi z domu.

Kiedy nadeszła sroga zima, zawołała pasierbicę i rozkazała:

– Idź mi zaraz do lasu i nazbieraj fiołków.

– A gdzież ja zimą znajdę fiołki? – zapytała przerażona Kasia.

– To twoja sprawa! – zawołała macocha. – Bez fiołków mi tu nie wracaj!

Owinęła się Kasia starą, przetartą chustą, wdziała drewniaki na nogi i poszła przez wysoki śnieg. Było bardzo zimno, wiatr szarpał jej ubranie i sypał śniegiem w oczy, ale dzielna dziewczynka dotarła do lasu. Szła i szła, aż dobrnęła do polany, na której płonęło ognisko. Wokół ogniska siedziało dwunastu młodych mężczyzn w najróżniejszych strojach. Dziewczynka domyśliła się, że spotkała właśnie dwunastu braci miesięcy.

– Czego szukasz zimą w lesie, dziewczynko? – zapytał jeden z dwunastu braci.

– Matka kazała mi nazbierać świeżych fiołków – rzekła Kasia i zaraz spuściła wzrok, bo jej było wstyd za macochę.

Młodzi mężczyźni uśmiechnęli się. Dwaj z nich, grudzień i maj, wstali i zamienili się miejscami. Nagle, tam gdzie Kasia stała, zazieleniła się trawa. A w trawie aż fioletowo było od fiołków.

Kasia nazbierała kwiatków, podziękowała z uśmiechem i pobiegła do domu.

W drodze powrotnej nie czuła zimna. Wiatr przycichł i już jej tak nie dokuczał. Kiedy weszła do chaty i położyła fiołki na stole, wdowa z Córeczką wybałuszyły tylko oczy i z niedowierzaniem podnosiły do oczu po jednym kwiatku.

– Coś podobnego! Fiołki w grudniu! – wołała macocha, a Córeczka wpinała je sobie we włosy i mizdrzyła się przed lustrem.

Po kilku dniach macocha wpadła na nowy pomysł. Wezwała Kasię i powiedziała:

– Idź mi zaraz do lasu i nazbieraj poziomek.

– A gdzież ja zimą znajdę poziomki? – zapytała Kasia.

– To twoja sprawa! – krzyknęła macocha. – Bez poziomek możesz nie wracać!

I znowu Kasia owinęła się chustą i poszła przez zaśnieżone pole w swoich starych, zdartych drewniakach. Odnalazła w lesie polanę z ogniskiem dwunastu miesięcy i powitała braci uśmiechem.

– Czego ci tym razem trzeba, miła panienko? – zapytał jeden z nich.

– Macocha kazała mi nazbierać poziomek – powiedziała i opuściła wzrok, bo było jej wstyd jeszcze bardziej, niż gdy prosiła o fiołki.

– Nazbieraj sobie tyle poziomek, ile chcesz – odparli bracia.

Grudzień i lipiec wstali i zamienili się miejscami. A po chwili polana zazieleniła się i zapełniła krzaczkami pełnymi dojrzałych poziomek.

Kasia nazbierała pełen koszyczek poziomek, podziękowała pięknie dwunastu braciom i wróciła do domu. Po drodze nie było jej już tak zimno, a zapach poziomek napawał jej serce nadzieją i radością.

Na widok koszyczka pełnego świeżych owoców macocha wpadła w zachwyt. Zaprosiła sąsiadów w gościnę, upiekła placek z poziomkami i kazała wszystkim podziwiać smak niespotykanych w zimie owoców. Tylko Kasi nie dała ani kawałka. Goście jedli z apetytem i oblizywali się łakomie. W godzinę było po placku, a jeszcze w izbie czuć było jego zapach.

Kiedy wieczorem goście się rozeszli, macocha znów zaczęła rozmyślać. Tym razem doszła do wniosku, że jednak nie warto pozbywać się Kasi. Trzeba korzystać z jej umiejętności i następnym razem wysłać ją do lasu po talary.

Minęło kilka dni i znowu wdowa wezwała Kasię.

– Idź do lasu i przynieś mi srebrnych talarów.

– A gdzież ja w lesie znajdę talary? – spytała dziewczynka i rozpłakała się, bo przecież od dawna wiadomo, że pieniędzy nie znajduje się w lesie. Macocha ani słuchać nie chciała i kazała Kasi nie wracać bez pieniędzy. Biedna dziewczyna znów owinęła się swoją chustą, wdziała stare drewniaki i poszła prosto do ogniska dwunastu miesięcy.

Bracia już nie mieli tak radosnych min jak poprzednio. Ich oczy zdradzały troskę, a na twarzy grudnia zaczynał wyraźnie rysować się gniew.

– Czego ci teraz potrzeba, dziewczynko? – zapytali łagodnie bracia.

– Macocha kazała mi przynieść dużo srebrnych talarów – powiedziała Kasia ze smutkiem.

Bracia poruszyli się gniewnie, ale luty, najmniejszy z nich, tylko uśmiechnął się i powiedział:

– Nabierz sobie do fartuszka węgielków z naszego ogniska i zanieś je macosze. I pamiętaj, że jeśli będzie ci dalej dokuczać, nie musisz u niej mieszkać. My chętnie zabierzemy cię do siebie. W naszym dworze przyda się taka miła gospodyni jak ty.

– Tak, tak... Zabierzemy cię do siebie... – przytaknęli pozostali bracia, a w lesie rozległ się radosny śpiew jakiegoś ptaka, który – tak jak miesiące – dodawał zgnębionej dziewczynie otuchy.

Tymczasem Kasia spojrzała w stronę ogniska i pomyślała ze strachem, że płonące węgielki wypalą dziurę w fartuszku. A może ją jeszcze poparzą i dopiero będzie nieszczęście, ale zaraz zrobiło jej się wstyd, że wątpi w słowa braci, że się tak zamartwia o starą, wiele razy łataną zapaskę. Odważnie pochyliła się nad ogniskiem, nabrała węgielków do fartuszka i podziękowała dwunastu miesiącom za dobre słowa i pomoc.

W drodze powrotnej nie czuła zimna. Nie czuła też, żeby ją węgielki parzyły. Ciężko jej było, to prawda, jakby niosła w zapasce piasek albo kamienie, ale nie zwracała na to najmniejszej uwagi.

Gdy przekroczyła próg chaty, macocha poderwała się od stołu.

– Jeśli nie masz talarów, nie wchodź mi nawet do izby! – zawołała.

Kasia nic nie powiedziała, tylko uklękła i wysypała zawartość fartuszka na podłogę. Spora sterta srebrnych talarów zadźwięczała i zabłyszczała na drewnianych deskach. Macocha rzuciła się na kolana i zaczęła przebierać wśród nich drżącymi z chciwości rękami. Podnosiła talary do oczu i próbowała zębami, żeby sprawdzić, czy aby prawdziwe. W końcu zawołała Córeczkę i zaczęły układać je w stosiki, liczyć i dzielić pieniądze.

– To będzie na nowy dom, za to kupimy ziemię i postawimy chlewik. A za to dwadzieścia prosiaków i młode, silne konie. A to będzie na posag dla Córeczki, a to na to, a to na tamto...

Na Kasię przestały zwracać uwagę. Zmęczona dziewczyna zostawiła macochę z talarami na podłodze i po raz pierwszy od wielu godzin poszła odpocząć.

Nazajutrz dowiedziała się, że owszem, sporo pieniędzy przyniosła, ale nie starczy na wszystko... Nie starczy na bogate stroje, nie starczy na powóz z malowanymi kołami i na wesele Córeczki, którą trzeba przecież bogato wydać za mąż. Macocha gderała przez cały ranek, wreszcie zawołała Kasię i zapytała:

– A powiedz ty mi, pasierbico, skąd miałaś to wszystko? Skąd fiołki, poziomki i talary? Możeś ty komu ukradła, co?

– Pomogło mi dwunastu braci, dwanaście miesięcy... – odrzekła Kasia.

– To idź mi zaraz do tych braci i przynieś jeszcze złotych talarów – powiedziała macocha i wskazała jej drzwi.

Kasia o nic już nie pytała. Spokojnie, bez pośpiechu, owinęła się w chustę, wzięła srebrny medalik, który jej pozostał po matce i poszła. I więcej nie wróciła.

Macocha czekała na pasierbicę dzień i noc. Wybiegała przed dom i na drogę, pytała przechodzących ludzi, czy nie widzieli gdzieś Kasi. Wiadomo, że niepokoiła się o swoje talary, a nie o pasierbicę. Pomstowała na cały świat, a najbardziej na dwanaście miesięcy, że dla jednych bracia tacy hojni, a innym skąpią wszystkiego. Minął jeden dzień, minął drugi, a Kasi ani śladu. Macocha postanowiła wysłać Córeczkę do lasu. Odziała ją w ciepły kożuch, dała jej chleba z serem na drogę i przykazała, żeby szła prosto na polanę, gdzie przy ognisku siedzi dwunastu braci miesięcy.

– Nie zbaczaj z drogi, nie gadaj z nikim, a kiedy spotkasz dwunastu braci, żądaj złota i weź, ile udźwigniesz – przykazała Córeczce.

Dziewczyna poszła przez zaśnieżone pola. Kilka razy ugrzęzła w zaspach i zanim doszła do lasu, zaczęło zmierzchać. Gdy odnalazła polanę z ogniskiem i dwunastoma miesiącami, zrobiło się już ciemno. Córeczka była dobrze głodna i zamarznięta.

– Aaa, to wy! – zawołała i nieproszona zajęła miejsce przy ognisku.

– Czy wiesz, kim jesteśmy? – zapytał grudzień.

– No, pewnie – odpowiedziała Córeczka. – Ty jesteś grudzień – brudzień, a ten tam to luty – opluty. O, ten obok to pewnie marzec jak starzec, a koło niego kwiecień – plecień!

Braciom zrobiło się przykro, jeszcze nie słyszeli, żeby się ktoś o nich tak brzydko wyrażał, tak im urągał.

– Jeśli jesteśmy tacy okropni, to po co przyszłaś? – zapytał maj.

– Po talary przyszłam. Trochę się przy was ogrzeję, a potem wezmę, co moje i wrócę do domu – burknęła Córeczka.

Bracia spojrzeli po sobie, najstarszy styczeń skinął głową, jakby dając znak przyzwolenia... Grudzień podniósł się ze swego miejsca i przysiadł na siedzisku lutego, a luty zajął miejsce grudnia. I nagle chwycił taki mróz, że drzewa zaczęły pękać i nawet ognisko z zimna przygasło.

Córeczce nie pomógł ani gruby kożuch, ani przygasające ognisko. Zerwała się z miejsca, próbując ucieczki, ale uszła zaledwie kilka kroków. Zaczęła powoli zamarzać, a kiedy przysypał ją śnieg, nie było wiadomo, gdzie dziewczyna, a gdzie śnieżna zaspa.

Macocha znowu czekała dzień i noc na powrót Córeczki. Czekała i na talary, których jej złe serce pragnęło bardziej niż powrotu córki do domu. Wychodziła na drogę, wstępowała do sąsiadów i pytała przechodniów, czy nie widzieli Córeczki. A gdy minęły trzy dni i dziewczyna nie wracała, macocha sama odziała się w kożuch i poszła jej szukać.

Zima wciąż była siarczysta, mróz tęgi, a śnieg zasypał wszystkie ślady i macocha nie wiedziała, jak trafić na polanę, gdzie mogłaby spotkać dwunastu braci. Szła i szła, aż zapadł zmrok. Wtedy straciła orientację. Nie odnalazła córki ani dwunastu miesięcy, ani drogi powrotnej do domu.

Tymczasem bracia postanowili resztę zimy spędzić w swoim ciepłym i zadbanym dworze. Zresztą, czekała tam na nich śliczna i wdzięczna Kasia. Ich posępny dotąd dom, dzięki miłej gospodyni, tętnił gwarem, życiem i radością.

A Kasia gospodarzyła od rana do nocy. Gotowała miesiącom tłuste kapuśniaki i krupniki, piekła słodkie ciasta i podawała z uśmiechem na lipowych liściach. Śpiewała przy pracy w gospodarstwie i śmiała się, widząc dokazujące sarenki i koźlęta. Dwunastu braci szczerze polubiło Kasię i teraz wszyscy chcieli być bliżej domu.

Nikt nie wspominał macochy, która zamarzła gdzieś w lesie, w środku śnieżnej zaspy. W jej domu zamieszkali biedacy, którzy przywędrowali do wioski jeszcze tej samej zimy...

SIOSTRA SIEDMIU KRUKÓW

Dawno, dawno temu pewna kobieta miała siedmiu synów i najmłodszą córkę, której na imię było Jagna. Bracia byli weseli i rozbrykani jak źrebięta, nie w głowie im było zajmować się gospodarstwem. Tylko Jagna pomagała matce, ale nie narzekała, bo kochała swoich dokazujących braci.

Pewnego dnia, gdy Jagna z matką przygotowywały się do pieczenia chleba, poprosiły chłopców o przyniesienie worka mąki. Chłopcy nie posłuchali, nie spełnili prośby matki. Biegając po kuchni, rozbili dzbanek ze źródlaną wodą, wylali zaczyn chlebowy i porozrzucali drwa, którymi matka paliła w piecu, by go rozgrzać przed pieczeniem. Kobieta bardzo się rozzłościła, uniosła zaciśniętą pięść, pogroziła chłopakom i zawołała:

– A bodaj byście się zamienili w czarne kruki!

Właśnie wtedy obok ich domu przechodziła zła godzina, a wiadomo, że co się wypowie w złej godzinie, to się stanie. Siedmiu urwisów w pół kroku się zatrzymało, ich ręce porosły piórami, a jasne twarze stężały i zamieniły się w czarne dzioby. Po chwili chłopcy zamachali skrzydłami i z łopotem i smutnym krakaniem siedem kruków wzbiło się w powietrze.

– Wracajcie, pacholęta! Synkowie mili, wracajcie! – goniło ich rozpaczliwe wołanie matki, ale było już za późno...

Mijał dzień za dniem, a chłopcy nie wracali. Żaden czarny ptak nie pojawił się nad dachem domu. Z gospodarstwa zniknęły radość i zabawa.

Przez wiele, wiele dni Jagna czekała na powrót braci. Matka zachorowała z tęsknoty za nimi i wciąż obwiniała się za złe słowa, tak bezmyślnie wypowiedziane.

Po kilku miesiącach matka z tęsknoty umarła. Jagna pogrzebała ją i zapłakała na cichej mogile. Kiedy bracia nie pojawili się na pogrzebie, dziewczyna postanowiła iść w daleki świat, by ich odszukać.

Siostra siedmiu kruków szła przed siebie. Mijała miasta i wioski, wszędzie pytała o siedmiu braci kruków, ale wciąż słyszała jedną tylko odpowiedź: tu ich nie widziano.

Na świecie panowała wiosna, łąki zieleniły się i kwitły, lasy tętniły życiem, a we wsiach panowało ożywienie. Nikt nie miał czasu spoglądać w niebo, nikt nie wiedział, dokąd wiosną lecą kruki. Jedna tylko staruszka widziała. Zaprosiła Jagnę do siebie, ugościła kwaterką mleka i zaczęła swą opowieść:

– Wiosną, dziecko, wszystkie dzikie kruki lecą ku północy. Tam się kryją w lasach i na skałach. Budują gniazda i wychowują pisklęta. Idź, Jagno, na północ, nie bój się, z drogi nie zbaczaj, tam napotkasz braci.

Poszła dziewczyna ku północnym lasom. Szła dniem i nocą, aż stanęła na brzegu trzech mórz: czerwonego, niebieskiego i żółtego. Trójkolorowe fale oblewały skalistą wyspę. Na szczycie tej wyspy stała maleńka chatka, nad którą za dnia krążyło siedmiu braci kruków. Widząc ich z daleka, Jagna zawołała, lecz fale bijące o brzeg, zagłuszyły jej głos. Wtedy dziewczyna wsiadła do niewielkiej łodzi pozostawionej na brzegu przez rybaków. Wiatr sam zagonił łódkę na skalistą wyspę, a stopnie wykute w twardej skale zawiodły Jagnę do drzwi chatki.

Nie czekała długo na pojawienie się braci. Gdy zapadł zmrok, siedmiu kruków przybrało ludzką postać i wbiegło do maleńkiej izby. Jakaż była ich radość, gdy ujrzeli swą ukochaną siostrę!

– Siostrzyczko, odnalazłaś nas! A co tam w domu? Matka zdrowa? Opowiadaj! – prosili.

Jagna drżącym ze wzruszenia głosem opowiedziała o żalu i śmierci matki i o tym, jak ich szukała.

– Zrobię wszystko, żeby was odczarować i wrócić z wami do domu – na koniec powiedziała.

A wtedy bracia opowiedzieli jej, jak może uwolnić ich ze strasznego czaru.

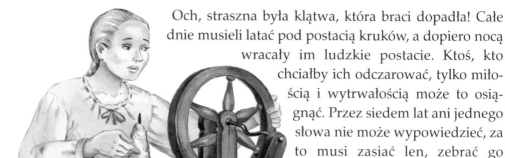

Och, straszna była klątwa, która braci dopadła! Całe dnie musieli latać pod postacią kruków, a dopiero nocą wracały im ludzkie postacie. Ktoś, kto chciałby ich odczarować, tylko miłością i wytrwałością może to osiągnąć. Przez siedem lat ani jednego słowa nie może wypowiedzieć, za to musi zasiać len, zebrać go i uprząść. Z lnu musi utkać płótno, a potem uszyć siedem koszulek – dla każdego z braci po jednej. Dopiero wtedy kruki na powrót staną się ludźmi i wrócą do domu.

Siostra i bracia przesiedzieli całą noc. Gdy nadszedł świt, bracia znów przybrali krucze pióra i odlecieli. Jagna postanowiła wrócić do domu i w milczeniu spełnić wszystkie warunki, by uwolnić braci. Następnej wiosny zasiała zagon lnu, jesienią zebrała rośliny, a zimą uprzędła ich włókna w cienkie nici. Szybko się skończyły i gdy nadeszła wiosna, Jagna znów w milczeniu uprawiała ziemię i siała len. Omijała ludzi, by uniknąć powitań i pytań. Samotnie chodziła do lasu na jagody, samotnie po chrust i grzyby.

Tak minęły dwa lata. Pewnego letniego poranka Jagna wzięła koszyk i poszła nazbierać malin. W tym czasie w puszczy polował młody i dobry książę ze swoją drużyną. Napotkał Jagnę na leśnej polanie i tak się zachwycił urodą dziewczyny, że zsiadł z konia i spytał:

– Skąd jesteś, piękna panno?

Jagna wskazała kierunek swojej wsi i nic nie odrzekła.

– Kim jest twoja matka? Kim jest ojciec? Pragnę prosić ich o twoją rękę – powiedział książę.

W odpowiedzi Jagna tylko zakryła twarz rękami i pokręciła głową. Książę domyślił się, że dziewczyna jest sierotą i w dodatku niemową. Żal mu się zrobiło pięknej panny i pokochał ją jeszcze mocniej. Chciał ją zaraz zabrać do pałacu, ale Jagna broniła się wymownymi gestami. Przez kilka tygodni książę odwiedzał Jagnę, obserwował jej pracę przy zbiorach lnu, aż wreszcie zaproponował, że ją zabierze do siebie wraz z kądzielą i lnem. Dopiero wtedy Jagna zgodziła się zostać żoną księcia.

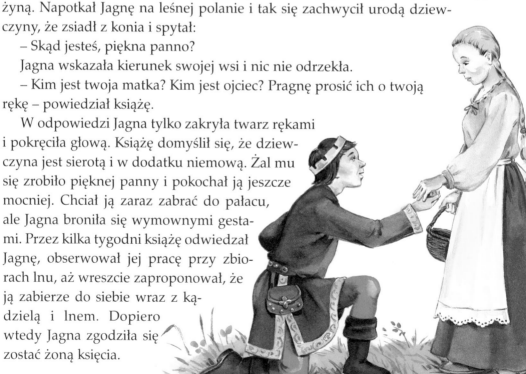

Jagnę przywieziono do pałacu jako ubogą prządkę. Nikt z rodziny książęcej i dworzan nie chciał wierzyć, że jest narzeczoną księcia. Gdy ją odziano w bogate szaty, wszyscy dostrzegli jej niezwykłą urodę, ale to, że młodą księżną będzie niemowa, nikomu na dworze nie mogło zmieścić się w głowie.

Stara księżna matka nie potrafiła pogodzić się z myślą, że nie może rozmawiać z synową. Nie o takiej żonie dla syna marzyła. Na weselu Jagna pięknie tańczyła, potem zaś okazała się dobrą żoną, kochającą, skromną i gospodarną. To jednak dla księżnej matki nic nie znaczyło. Nie mogła znieść widoku synowej przy kądzieli i krosnach. Kazała swoim sługom psuć krosna i łamać motowidła, ale na próżno. Jagna sama naprawiała narzędzia i dalej uparcie przędła len.

Kiedy ogłoszono, że książęca para spodziewa się potomka, dworzanie złagodnieli i zaczęli okazywać młodej pani sympatię i szacunek. A kiedy Jagna urodziła ślicznego synka, wszyscy cieszyli się ze szczęśliwych narodzin. Tylko księżna matka zaciskała zęby i syczała gniewnie:

– Jeszcze ty mnie, wieśniaczko, popamiętasz...

W kilka tygodni później z granicy państwa nadeszły złe wieści. Książę musiał zwołać drużynę i ruszyć na wojnę z wrogiem, który właśnie oblegał graniczne miasta i twierdze.

Po wyjeździe księcia księżna matka zakradła się nocą do komnaty synowej i wykradła z kołyski jej maleńkiego synka. Pod osłoną nocy wyniosła dziecko do lasu i porzuciła pod krzakiem. Nie wiedziała, że nad jej głową cicho leci siedem czarnych cieni, siedmiu braci kruków, strzegących swego siostrzeńca.

Nazajutrz w kołysce nie znaleziono dziecka. Księżna matka ogłosiła, że synowa zabiła synka i kazała wtrącić ją do lochu. Biedna Jagna, której serce ściskało się ze strachu i żalu za utraconym synkiem, nic nie powiedziała. Choć tak straszne stawiano jej zarzuty, nie mogła przerwać milczenia. Siedziała w zimnym, strasznym lochu, a po policzkach ciekły jej łzy...

Mijały tygodnie i miesiące, siostra siedmiu kruków nadal milczała, zamknięta w ciemnym lochu. Strażnik książęcego więzienia litował się nad nią. Nie mógł spokojnie patrzeć na jej cierpienie. Przynosił jej lepsze jedzenie, świeże owoce i warzywa z pałacowych ogrodów. A kiedy Jagna na migi wytłumaczyła mu, że błaga o zwój płótna utkanego przez poprzednie lata, poprosił pokojówkę o przyniesienie go. Dał jej też igłę i lniane nici. Dzięki temu Jagna nie traciła czasu i mimo chłodu i mroku szyła koszulki dla kochanych braci.

Nie wiedziała i nikt nie wiedział, że w chatce na szczycie skalistej wyspy, gdzie zlewały się wody trzech mórz, mieszka siedmiu braci kruków wraz z małym synkiem księcia. To oni zabrali porzucone przez starą księżnę niemowlę z lasu, karmili i wychowywali na dzielnego chłopca. Oni też liczyli lata milczenia siostry. Wiedzieli, że ten czas dobiega końca. Czy siostra zdąży dokończyć pracę? Czy koszulki będą gotowe i uda się zdjąć okrutny czar?

Tymczasem po latach wojowania stęskniony książę wrócił do pałacu. Z radością pobiegł powitać żonę, ale nie było jej w komnacie.

– Nie znajdziesz tu swojej niemowy, nie znajdziesz i synka – syczała księżna matka, witając się z synem i wlewając w jego serce jad.

– Matko, mów natychmiast, co tu się wydarzyło? Gdzie mój synek? – wołał książę zrozpaczony.

– Dzieciobójczyni w lochu siedzi! Niedługo kat wykona na niej wyrok! – odparła księżna z jakimś dziwnym zadowoleniem.

Książę kazał zaprowadzić się do lochu. Widząc Jagnę przy pracy i sześć koszulek na kołku, i nie rozumiejąc, co się dzieje, zapytał:

– Dla kogo te koszule, moja droga żono?

Jagna uniosła w górę ramiona, lecz zamiast nieba, wskazała tylko zimne sklepienie lochu.

– Gdzie nasz synek? Czy naprawdę zabiłaś niewinne dziecko? – spytał książę.

Jagna pokręciła głową w niemym zaprzeczeniu i zapłakała. Książę uwierzył żonie, bo bardzo ją kochał. Postarał się o odroczenie wykonania wyroku, tak aby żona zdążyła uszyć wszystkie koszule. A miało ich być siedem. Niestety, dla jednej z koszulek zabrakło płótna na rękaw. Książę prosił, by jeszcze odroczyć dzień egzekucji, ale sąd i księżna matka nie zgodzili się.

Gdy nadszedł dzień wykonania kary, na rynku przed pałacem ustawiono szafot. Tłum gawiedzi zbiegł się ze wszystkich stron, żeby zobaczyć, jak ginie księżna dzieciobójczyni. Jednym było żal pięknej niemowy, inni uważali, że sprawiedliwość powinna zwyciężyć.

Wreszcie wyprowadzono Jagnę na rynek. Blada i prawie bezsilna szła ku schodkom na szafot.

W dłoniach trzymała siedem koszul, z których jedna nie miała rękawa.

Wtedy nagle zerwał się tak silny wicher, że aż zachwiał tłumem i szafotem. Jagna rzuciła koszule w powietrze i wiatr porwał je wysoko ponad miasto. Po chwili wszystko ucichło, a Jagnę poprowadzono dalej. Książę jeszcze raz podszedł do niej i z cierpieniem w głosie zapytał:

– Czy zabiłaś naszego synka?

– Nie zabiła! Nie zabiła! – wołał tłum, któremu nagle żal się zrobiło pięknej i smutnej księżnej.

– Zabiła... Zabiła... – syczała matka zza pleców księcia.

Jagna z płaczem odwróciła głowę. Jeszcze nie mogła wyrzec ani słowa. Z przerażeniem myślała o braciach. Czy zdążą odziać się w koszulki? Czy zdążą ją ocalić? I wtedy nagle tłum się rozstąpił. Na rynek wbiegli młodzieńcy uzbrojeni w miecze. Tylko ostatni z siedmiu braci miał krucze skrzydło zamiast ręki. On właśnie niósł czteroletnie pachołę, jasnowłosego chłopczyka, swego siostrzeńca.

Widząc to, Jagna rzuciła się ku braciom i porwała dziecko na ręce.

– Syneczku mój! Bracia ukochani! Jesteście wolni, uratowani! – zawołała.

Słysząc głos synowej, księżna matka z przerażeniem ukryła się w tłumie. Bocznymi uliczkami wydostała się z miasta i już nigdy nie wróciła do pałacu.

Odtąd w zamku zapanowały szczęście i radość. Każdy dzień przypominał święto na cześć wiernej miłości, dzięki której wszystko dobrze się skończyło.

SZKLANA GÓRA

Dawno, dawno temu, w pewnym niewielkim majątku, stał piękny dwór modrzewiowy. Otaczały go urodzajne pola uprawne i bogate lasy, ale w całej okolicy słynął przede wszystkim z najpiękniejszego drzewa. Była nim stara lipa, rosnąca na środku dziedzińca.

We dworze mieszkał sędziwy ojciec, który miał trzech synów. Dwaj starsi, Jarosław i Bartosz, byli leniwi i chciwi. Nigdy nie pomagali w gospodarstwie, za to wciąż żądali, żeby im usłużyć albo coś dać. Wciąż do ojca przychodzili z pretensjami, że parobcy butów im nie doczyścili, że dziewczyna pościeli nie doprała, a kucharka dała za mało cukru do kawusi.

Najmłodszy z braci, Jasiek, był cichy i pracowity. Na nic się nie skarżył, wszystko robił sam, a kiedy stary ojciec zachorował, opiekował się nim troskliwie.

Pewnego dnia, gdy ojciec poczuł się gorzej, wezwał do siebie synów i powiedział:

– Dzieci moje kochane, jestem już stary. Sił mam coraz mniej i pewnie już z łoża nie wstanę. Zamiast przy mnie czuwać, siądźcie pod naszą lipą i pilnujcie jej przez trzy noce.

– E tam, nie spać przez trzy noce... – mruknął Bartosz lekceważąco.

– I jeszcze pilnować lipy, jakby było po co... – dodał Jarosław znudzonym tonem.

– W ciągu tych trzech nocy dostaniecie to, na co całym waszym życiem sobie zasłużyliście – rzekł stary ojciec i poprosił o szklankę wody.

Tylko Jasiek o nic nie pytał. Podał ojcu wodę i jeszcze kubek podtrzymał, żeby nie wypadł z drżącej ręki staruszka. Prośba ojca była dla niego ważniejsza niż nagroda. Bo jakiej mógł się spodziewać nagrody za to, że był dobrym synem i pracowitym człowiekiem? Tylko takiej, że kiedyś, w przyszłości, jego praca przyniesie korzyści.

Gdy nadeszła noc, zgodnie z wolą ojca bracia usiedli pod lipą i czekali. Dwaj starsi zaczęli drzemać. Śniły im się worki ze srebrem i złotem, bo też nie lada jakiej nagrody oczekiwali. Jasiek nie spał całą noc. O świcie pozostawił pod lipą śpiących braci i poszedł do ojca, żeby sprawdzić, czy mu czego nie trzeba.

W ciągu następnej nocy
znów nic nadzwyczajnego się nie wydarzyło. Starsi bracia zasnęli, a Jasiek przesie-
dział przy nich, pilnując drzewa. O świcie znów zajrzał do ojca, a potem jak zwykle,
zajął się gospodarstwem.

Trzeciej nocy Jasiek był już bardzo senny. Oparł się o pień lipy i niewiele brako-
wało, żeby go sen zmorzył. Jednak postanowił wytrwać do końca i gdy starsi bracia
spali, on wstał i zaczął chodzić tam i z powrotem. Było dobrze po północy, gdy w li-
pie coś zaszurało. Po chwili stary pień pękł z trzaskiem, jakby rażony piorunem.
W pniu pojawiła się czarna dziupla, na tyle duża, by mógł z niej wyjść dziwny czło-
wiek z długą różdżką w ręce. Za nim z wnętrza drzewa wyszły trzy wspaniałe konie.

Rumaki stanęły pod lipą i zarżały donośnie. Rżenie koni zbudziło starszych braci.
Przecierając oczy, przyglądali się niezwykłym zwierzętom. Pierwszy koń był złoty, drugi srebrny, a trzeci był zwykły, siwy.

– Ten złoty będzie mój! – zawołał Bartosz i chwycił złotego konia mocno
za uzdę, jakby nigdy go nie miał puścić.

– Ten srebrny jest dla mnie! – zawołał za nim Jarosław, gładząc srebrną grzywę.

Jasiek nie wiedział, że siwek jest dla niego, bo biały jak mleko konik sam podszedł
do chłopca i trącił go łbem przyjaźnie. Czarodziej uśmiechnął się zagadkowo, skinął
głową i zniknął. Bracia odprowadzili konie do stajni i poszli do ojca, by mu podzię-
kować za dary. Nie zdążyli jednak, bo staruszek we śnie umarł. Po trzech dniach
pochowali ojca po chrześcijańsku i żyli dalej tak, jak poprzednio. Jasiek pracował, a starsi bracia leniuchowali.

Pewnego dnia rozeszła się po okolicy wieść, że w sąsiednim królestwie król chce wydać królewnę za mąż. A żeby wybrać dla niej właściwego męża, władca postanowił sprawdzić męstwo, siłę i spryt kandydatów. Kazał więc zbudować szklaną górę, a na jej szczycie maleńki zameczek, w którym król zamknął królewnę. Heroldowie ogłosili, że królewnę za żonę dostanie ten ze śmiałków, który zdoła konno dotrzeć na szczyt i ją uwolni. A nie było to zadanie łatwe. Wielu rycerzy próbowało szczęścia. Ich konie odbijały się od ziemi i usiłowały wspiąć się na szklaną górę, ale kopyta ślizgały się po szklanych stokach i zwierzęta spadały na ziemię, łamiąc nogi i gubiąc jeźdźców. Niektórzy przypłacili te próby życiem, inni kalectwem, ale nikomu nie udało się dotrzeć wyżej niż do połowy szklanej góry.

Dowiedziawszy się o tym, bracia postanowili spróbować swych sił.

– Pewnie po to dostałem złotego konia, żeby wjechać na szklaną górę i zostać królewskim zięciem – stwierdził najstarszy Bartosz.

– Eee, to ja dostałem srebrnego, żeby na nim pokonać innych zalotników – powiedział Jarosław.

– No tak – westchnął Jasiek. – Mój siwek z waszymi rumakami równać się nie może, ale i tak spróbujemy szczęścia...

Bracia przysposobili się do drogi. Dwaj starsi ruszyli głównymi traktami, żeby pokazać wszystkim, jakie to piękne mają konie. Zatrzymywali się w karczmach i w obozowiskach, gdzie zawsze słyszeli to samo: szkoda takich pięknych koni na taką szaloną wyprawę.

Jasiek wyruszył na swoim siwku sam. Jechał bocznymi, polnymi drogami i sobie tylko znanymi ścieżkami. Zatrzymywał się na popas przy czystych strumykach i na leśnych polankach. Dzięki temu nie zmęczył siwka i spokojnie dojechał pod szklaną górę.

Gdy Jasiek stanął pod szklaną górą, jego bracia już tam byli. Siedzieli pod karczmą, miodek popijali i kłócili się o to, co który będzie robił, gdy wreszcie dostanie królewnę za żonę.

– Jeśli mi się poszczęści, to ciebie uczynię ministrem – mówił Bartosz.

– A jeśli to ja dostanę królewnę za żonę, to uczynię cię głównym ekonomem królestwa – mówił Jarosław i klepał brata po plecach.

– A co zrobimy z naszym Jaśkiem? – spytał Bartosz.

– A nic – odpowiedział Jarosław i obaj roześmiali się złośliwie.

Kiedy nadeszła ich kolej, wsiedli na swoje konie i podjechali do króla. Pokłonili mu się nisko, a król wręczył każdemu z nich mały kluczyk i powiedział:

– Jeśli dojedziecie na szczyt, to tym kluczem zameczek sobie otworzycie, che, che...

Bartosz na złotym koniu wziął długi rozbieg. Gdy mknął jak złota strzała, tłum gapiów wznosił okrzyki – nikt nie wątpił, że temu jeźdźcowi się uda. Jednak koń odbił się kopytami zaledwie dwa razy, starł złote podkowy i nawet nie dojechał do połowy. Zsunął się po szkle jak po lodzie, a po drodze zgubił jeźdźca. Dobrze, że złotych nóg nie połamał. Bartosz mocno potłuczony i upokorzony pozbierał się jakoś i oddał kluczyk królowi.

Podobnie było ze srebrnym rumakiem Jarosława. Koń odbił się dwa razy i, mimo okrzyków zachęty i ostróg wbijanych mu w bok, zjechał w dół. Jeździec wypadł z siodła i nie mógł stanąć o własnych siłach. Musiał prosić obcych ludzi, by go odprowadzili na bok. Oba konie, srebrny i złoty, były spłoszone i niespokojne. Ledwie je złapano daleko za karczmą.

Tego dnia nikt już nie próbował dotrzeć na szczyt. Król odebrał wszystkim kandydatom kluczyki, zamknął je w szkatule i wrócił do stolicy. Biedna królewna kolejną noc musiała spędzić samotnie w swoim zameczku.

Jasiek spędził noc w zagajniku pod zamkiem. Nakarmił siwka ziarnem i zieloną trawą, masował mu nogi. Przemawiał czule jak do przyjaciela, bo też od tego przyjaciela wiele zależało.

Rankiem poszli pod szklaną górę. Zebrało się tam już wielu nowych rycerzy, chętnych stanąć na szczycie. Jak co dzień przyszli też prości mieszczanie, by nacieszyć oczy barwnym widowiskiem.

Jasiek podszedł do grupki roześmianych mieszczan i zapytał jakąś rumianą kobiecinę:

– Powiedzcie mi, matko, jaka też jest ta królewna? Dobra czy piękna? A może jedno i drugie?

– Pewnie, że jedno i drugie. Twarzyczkę ma jak księżyc w pełni, oczy jak jagódki, a serce miękkie i dla wszystkich litościwe – odpowiedziała kobiecina.

– No, jeśli tak, to warto próbować szczęścia – powiedział Jasiek i dosiadł siwka. Podjechał do króla, pokłonił się pięknie i wziął od niego kluczyk. Gdy przyszła jego kolej, cofnął konia o kilka metrów, wziął krótki rozbieg i jednym susem znalazł się w połowie drogi. Siwek jakby nie czuł śliskiego szkła pod kopytami. Odbił się od góry raz, potem drugi raz, a za trzecim susem stanął na szczycie.

Wszystkim na dole aż dech w piersiach zaparło. Taki zwykły siwek, z takim niepozornym jeźdźcem dotarł na sam szczyt! Coś podobnego!?

Starsi bracia wszystko widzieli z tarasu karczmy, gdzie znów popijali miodek. Nie chcieli wierzyć własnym oczom. Byli pewni, że zbyt wiele wypili i to, co widzą, jest tylko przywidzeniem.

A Jasiek zsiadł z konia, pogłaskał go z wdzięczności po szyi, a potem otworzył drzwi zameczku i poprosił królewnę, by raczyła z nim zjechać do ojca, by mógł poprosić o jej rękę.

– O mój ty rycerzu! Mój ty najmilszy! – wołała królewna i pięknie dziękowała Jaśkowi za uwolnienie.

Potem usiadła przed nim na siodle i ruszyli w dół. Siwek ani razu się nie poślizgnął. Zbiegł lekko w dół, jakby po jakiejś zaczarowanej ścieżce. Kiedy stanęli przed królem, Jasiek zsiadł z konia i pomógł królewnie zeskoczyć z siodła.

– Wypełniłem zadanie, mój królu. Spełnij swą obietnicę i oddaj mi córkę za żonę, a zadbam o to, by zawsze była szczęśliwa... – powiedział Jasiek, patrząc staremu królowi prosto w oczy.

Stary władca wyprawił młodym wspaniałe wesele i oddał Jaśkowi rządy w państwie. Jasiek zamieszkał w zamku ze swoją królewną i żyli tam długo i szczęśliwie.

O KRÓLEWNIE CZARODZIEJCE

Dawno, dawno temu, w pewnej dalekiej krainie, żył sobie król czarodziej. Miał piękną córkę, Firellę, która od swego ojca nauczyła się czarować i wszędzie uchodziła za królewnę czarodziejkę.

Król bardzo kochał córkę. Nigdy nie odmawiał jej niczego i spełniał wszystkie jej pragnienia. Kiedy dorosła, postanowił wydać ją za mąż. Zaprosił do zamku wielu wspaniałych rycerzy, tancerzy i mędrców, żeby Firella mogła spośród nich wybrać sobie męża.

W czasie balu powitalnego Firella tańczyła z wieloma zalotnikami, ale każdy był nie taki, jak ona by sobie życzyła.

– Ten jest za mały, a ten za duży i w dodatku pokraka – mówiła o słynnych na cały świat tancerzach.

O mędrcach wyrażała się podobnie:

– Ten jest za gruby, a tamten za chudy i wszyscy są dla mnie za głupi!

O sławnych rycerzach także nie miała najlepszego zdania:

– Ten jest za ciężki, a tamten za lekki! Każdy z nich to rębajło i tyle – mówiła.

Wszystkim było bardzo przykro. Po balu obrażeni zalotnicy wyjechali z królewskiego pałacu i wyrazili nadzieję, że więcej nie będą tu zapraszani. Król przepraszał wszystkich za zachowanie Firelli, obiecywał poprawę i liczył na to, że któryś zechce wreszcie stawić czoło złośliwościom królewny.

Tylko jeden z zalotników nie wyjechał. Firella podobała mu się tak bardzo, że gotów był znieść wszelkie złośliwości i w końcu zdobyć jej rękę. Nie był ani rycerzem, ani mędrcem, tylko młodym czarodziejem, o czym król i królewna nie wiedzieli.

Królewnie, choć nie chciała się do tego przyznać, podobał się młodzieniec w eleganckim stroju, o nienagannych manierach. Był zawsze odpowiednio ubrany, konno jeździł z klasą i wdziękiem, a kiedy zrywał dla Firelli kwiaty, dobierał ich kolor do koloru jej sukni. Kiedy królewna była w białym stroju, młody zalotnik przynosił jej białe tulipany, a kiedy była w czerwonym, dostawała pąsowe róże. No i zawsze wiedział, co powiedzieć, dla każdego umiał znaleźć miłe słowo. Królowa gawędziła z nim o wielkim świecie, o zwyczajach panujących na innych dworach, król toczył z nim dysputy o sposobach rządzenia, walki i rozsądzania sporów. Nawet młodszy brat królewny uwielbiał królewicza, bo umiał on zadawać najwspanialsze na dworze zagadki.

Długo bawił młody czarodziej w pałacu i Firella przyzwyczaiła się do jego obecności. Już zaczynała myśleć o nim jak o zwykłym domowniku, gdy pewnego dnia oświadczył się i poprosił króla o jej rękę.

Stary władca z radością zgodził się oddać córkę miłemu młodzieńcowi, ale przedtem chciał wiedzieć, co królewna o tym myśli. Dumna Firella stanęła przed młodym czarodziejem i tylko zrobiła brzydką minę.

– Jesteś krzywy i garbaty! Nie wyjdę za ciebie! – zawołała.

– A ty jesteś brzydka i głupia! – odpowiedział królewicz. – Nie umiesz dostrzec prawdziwej miłości.

Firella była oburzona. Pobiegła do swojej komnaty. Myśl o tym, że ktoś śmiał nazwać ją głupią, nie dawała jej spokoju. Szczerze powiedziawszy, jeszcze bardziej złościła ją myśl, że królewicz powiedział, że jest brzydka. Ona, której urodzie nikt nie mógł się oprzeć, brzydka!? Sięgnęła po ulubione zwierciadełko, ale nie wiedziała, że czarodziej zaczarował wszystkie lustra w całym pałacu. Zerknęła i w szklanej tafli ujrzała nie siebie, lecz twarz rozczochranej brzyduli. Rozpłakała się, wezwała pokojówkę i przez cały dzień kazała się czesać i pudrować. Kiedy uznała, że już dobrze wygląda, poszła do młodego czarodzieja i oświadczyła:

– Zgadzam się. Zostanę twoją żoną, jeśli ci się siedem razy schowam, a ty mnie siedem razy znajdziesz.

Taki oto plan ułożyła urażona królewna: „Schowam mu się tak, że nigdy mnie nie znajdzie. Odjedzie stąd z niczym, i to on wyjdzie na głupca, nie ja!", myślała.

– Znajdę cię bez trudu, nawet sto razy! – zawołał młodzieniec.

– Zobaczymy, zobaczymy... – odrzekła królewna i prędko pobiegła na zamkową wieżę.

Królewicz domyślił się, że Firella właśnie tam będzie szukać kryjówki. Pobiegł za nią i zobaczył, jak do stada szarych gołębi latających nad wieżą dołącza jeszcze jedna biała gołębica. Prędko zamienił się w jastrzębia, wzbił się w powietrze i zaczął krążyć nad gołębiami.

Prawdziwe ptaki bały się jastrzębia, wszystkie czym prędzej skryły się w okienkach wieży i tylko biała gołębica krążyła sobie beztrosko nad zamkiem. Jastrząb spadł na nią z góry, chwycił mocno drapieżnymi szponami i zaniósł na wieżę. Patrzy król i nie wierzy: stoi młodzieniec, a obok niego schwytana królewna.

Firella nie mogła sobie darować, że królewicz tak prędko ją odnalazł. „Za drugim razem – myślała sobie – nie pójdzie mu tak łatwo ."

Następnego ranka wymknęła się do ogrodu. Na grządkach białych lilii było trochę miejsca. Królewna weszła między śnieżnobiałe, słodko pachnące kwiaty i zamieniła się w jeden z nich.

Młodzieniec szukał jej przez cały ranek. Nie przyszła na śniadanie, nie pojawiła się na obiedzie. Czyżby opuściła pałac i wymknęła się do lasu? „Nie – myślał młody czarownik – strażnicy na pewno by ją zauważyli." Zafrasowany poszedł pospacerować do ogrodu i przystanął przy grządce z liliami. Wszystkie kwiaty były białe i wyniośle wyciągały płatki i liście do słońca, tylko jeden lekko drżał, a jego płatki były różowe jak najpiękniejszy rumieniec na delikatnej twarzy królewny.

– Tu jesteś. Znalazłem cię drugi raz! – zawołał królewicz i zerwał różową lilię.

Znowu król nie wierzył własnym oczom: stoi królewna, stoi młodzieniec i trzyma ją za rękę.

Po południu królewicz z królem i królewną poszli nad rzeczkę. Rozmawiali o tym i owym, gdy nagle coś chlupnęło w wodzie i królewna zniknęła.

– Córka mi się utopi! – zawołał król, ale młodzieniec prędko skoczył do wody i zamienił się w szczupaka. Po chwili wypłynął z małą płotką w pysku i znów oboje stanęli przed królem.

– Już trzeci raz odnalazłem królewnę – powiedział królewicz.

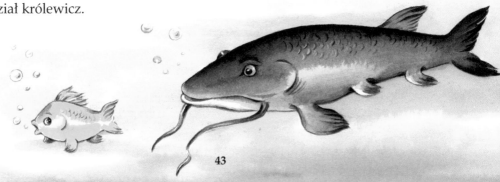

Następnego dnia Firella postanowiła zamienić się w muchę i przyłączyć do brzęczącego stada, latającego nad stołem w jadalni. Kiedy młodzieniec przyszedł na śniadanie, zauważył złotą muszkę między czarnymi. Prędko zamienił się w pająka i utkał gęstą sieć. Wszystkie zwykłe muchy umknęły na dwór, tylko złota muszka nie wiedziała, czym grozi pajęcza sieć. Zagapiła się i wpadła prosto w objęcia pająka.

– Witaj, złota muszko – powiedział pająk.

Po chwili zdumiony król ujrzał dwoje młodych, zjeżdżających spod sufitu na pajęczej nici.

Nie była to ostatnia przemiana tego ranka.

Zanim dokończyli śniadanie, królewna bezszelestnie zsunęła się z krzesła i zniknęła pod stołem.

Królewicz miał dobry wzrok. Zaraz wypatrzył w drzwiach jadalni szparę tuż pod progiem. Zamienił się w wielkiego kota i przycupnął przy mysiej dziurze. Liczył na to, że Firella-myszka wystawi nosek z nory. Po dwóch godzinach królewna była pewna, że nikt jej już nie szuka.

– No, wreszcie wygrałam – pisnęła i wybiegła spod progu.

Kot skoczył na nią z góry i przytrzymał łapkami.

– A nie, bo to ja wygrałem – powiedział zadowolony.

Firella była bardzo zaniepokojona. Miała jeszcze tylko dwie możliwości ukrycia się. Jeśli się nie uda, będzie musiała zostać żoną młodzieńca. Właściwie nie miała nic przeciwko temu. Polubiła go i bawiła się z nim doskonale, ale nie cierpiała przegrywać. Kiedy znowu wybrali się na spacer, królewna nagle znikła, tak jak nad rzeczką. Młodzieniec rozglądał się dookoła, a potem dokładnie przyjrzał się ścieżce. Jeden z kamyczków tuż przy jego nogach przyciągał oko i błyszczał niezwykłym blaskiem.

– Jaki piękny! – zawołał, podniósł kamień z ziemi i zaczął polerować znalezisko aksamitnym rękawem. Tego było już królewnie za wiele.

– Podrzesz mi sukienkę! – powiedziała gniewnie, wyskakując z jego rąk.

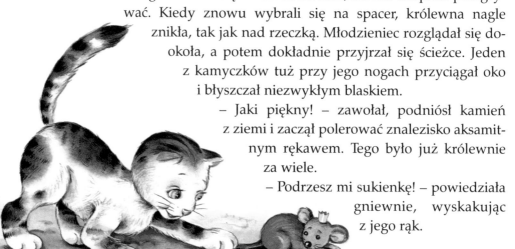

Następny dzień miał być dniem ostatniej próby. Królewna długo myślała, gdzie się ukryć, by królewicz jej nie znalazł. Postanowiła wmieszać się w tłum ludzi na dziedzińcu, przybrać postać jakiejś mało znaczącej osoby. Zamieniła się w starą żebraczkę i zaczęła chodzić między końmi, wozami i służbą. Jedni ją przeganiali, inni próbowali obdarować choćby skromną jałmużną. Kiedy obok przejeżdżał król, rzucił jej srebrnego talara.

– No proszę, ojciec mnie nie poznał, to i młody królewicz nie zauważy – powiedziała do siebie Firella, ale srebrnego talara nie podniosła.

A tymczasem królewicz obserwował dziedziniec z pałacowych okien.

– Kim jest ta staruszka, która chodzi po dziedzińcu? – zapytał lokaja, bo pierwszy raz widział żebraczkę, która nie przyjmuje jałmużny.

– Nie wiem, panie – odrzekł sługa. – Nigdy jej tu nie spotkałem.

Królewicz czarodziej postanowił przyjrzeć się z bliska starej kobiecie. Chciał podejść do niej, ale umknęła na drugą stronę placu. Ruszała się dość żwawo jak na staruszkę. Młodzieniec ruszył w pościg. Biegli oboje, potrącając ludzi i rozsypując kosze z różnymi towarami przywiezionymi do pałacu. Służba zaczęła się już denerwować, gdy staruszka potknęła się o skrzynię z marchewką i padła jak długa. Królewicz pomógł jej wstać. Zajrzał też głęboko w oczy kobiety i rozpoznał młode, błyszczące spojrzenie Firelli.

– Tu cię mam! Mam i już nie puszczę! – zawołał królewicz czarodziej.

Król z radości rozkazał ogłosić w całym państwie, że młody królewicz siedem razy odszukał królewnę. Firella wreszcie pogodziła się z przegraną i też była zadowolona. Przez wiele, wiele lat była szczęśliwą żoną księcia czarodzieja. A gdy czasem gniewała się na męża, mówiła:

– Czekaj, bo zmienię postać i mnie nie znajdziesz!

A on przytulał ją wtedy mocno i mówił:

– Siedem razy serce podpowiedziało mi, gdzie jesteś, to i ósmy raz podpowie...

ŻELAZNE TRZEWIKI

Dawno, dawno temu, na skraju pewnej wsi, stała uboga chatka. Mieszkał w niej stary ojciec, który miał trzy córki o pięknych włosach. Najstarsza miała włosy kruczoczarne, średnia złotorude, a najmłodsza jasne jak len. Miała też jasne, słoneczne spojrzenie, dlatego nazywano ją Jasną.

Pewnego letniego dnia, kiedy na dworze panował wielki upał, stary ojciec poprosił o kubek zimnej wody prosto ze studni. Najstarsza siostra wiele razy opuszczała wiadro do studni, ale nie nabrała nawet kropelki. Poprosiła o pomoc średnią siostrę, ale i ona nie mogła sięgnąć po wodę.

Wtedy do cembrowiny zbliżyła się Jasna. Gdy chciała zaczerpnąć wody, studnia nagle odezwała się ludzkim głosem:

– Obiecaj mi, że zostaniesz moją żoną. Wtedy dam ci wodę dla ojca.

– Jakże ja mam zostać żoną wody? – zapytała Jasna.

– Obiecaj mi, obiecaj... – prosiła studnia.

Jasna w końcu się zgodziła. Zaraz też pobiegła do domu z kubkiem krystalicznie czystej, chłodnej wody. Kiedy wieczorem ojciec wreszcie zasnął, dwie starsze siostry także udały się na spoczynek. Tylko Jasna została na ławce przed chatą, żeby pomyśleć o tym, co się wydarzyło.

Na niebie ukazał się srebrny księżyc i oświetlił studnię. Do Jasnej doleciały słowa piosenki, śpiewanej młodzieńczym głosem:

"Pomnij, cóś mi obiecała,
gdyś ze studni wodę brała... ".

Od strony studni nadchodził ciemnowłosy młodzieniec i śpiewnie nucił.

Młodzieniec podszedł do ławeczki i usiadł obok zasłuchanej dziewczyny.

– To mnie obiecałaś swoją rękę – powiedział. – Za dnia będę z tobą pod postacią krówki, każdego wieczoru zaś zrzucę krowią skórę i spotkam się z tobą jak dziś.

Jasnej spodobał się ten miły młodzieniec. Co wieczór wybiegała do niego na ławkę, a on opowiadał jej o złych czarach rzuconych na niego przez wiedźmę. Jasna pogodziła się z tym, że musi czekać, aż minie czar. Pokochała swego młodzieńca, pokochała i krówkę, która w ciągu dnia nie odstępowała jej na krok.

Starsze siostry dopytywały się, skąd się wzięła śliczna krówka w gospodarstwie. A gdy Jasna nie chciała zdradzić swojej tajemnicy, najstarsza siostra ukryła się wieczorem za węgłem chaty i zobaczyła, jak krówka zrzuca skórę, jak staje się młodzieńcem i jak siada obok Jasnej na ławeczce.

„A więc to tak... Krówka jest zaczarowana. Trzeba koniecznie z tym skończyć... ”, pomyślała najstarsza siostra i postanowiła pomóc Jasnej.

Kiedy młodzi byli zajęci rozmową, czarnowłosa siostra wybiegła zza domu i chwyciła leżącą obok ławeczki krowią skórę. Zaniosła ją zaraz do domu i wrzuciła do chlebowego pieca.

– Och, coś ty zrobiła! – zawołała Jasna i podbiegła do pieca.

Niestety, było już za późno. Krowia skóra spłonęła, a młodzieniec tylko cicho wyszeptał:

– Za trzy dni byłbym wolny... A teraz wracam do wiedźmy.

Zaszumiał zimny, północny wiatr, zakręcił źdźbłami słomy po podwórzu i porwał młodzieńca. Jasna płakała i czekała, aż wreszcie postanowiła wyruszyć w świat i odszukać swego miłego. Poszła do kowala i poprosiła:

– Kowalu, proszę cię, zrób dla mnie żelazne trzewiczki, żelazny kosturek i żelazny kociołek.

– Po co ci żelazne rzeczy? – spytał zdziwiony kowal.

– Idę bardzo daleko, zwykłe trzewiki zedrą się, zanim dojdę – odrzekła Jasna i dostała żelazne trzewiczki. Dostała też żelazny kosturek do podpierania i mały kociołek, do którego zbierała swoje gorzkie łzy.

Jasna wędrowała dniami i nocami, drogami i bezdrożami. Nic nie jadła i nie piła, tylko zbierała swoje łzy do kociołka. Pewnego dnia zaszła do słomianej chaty, w której wszystko wyglądało tak, jakby tędy przeszedł huragan. W tym nieporządku Jasna ujrzała starą kobietę, która przędła cienkie nici z mgły.

– Czyj jest ten dom? – zapytała Jasna.

– To dom północnego wiatru – odrzekła kobieta i uśmiechnęła się.

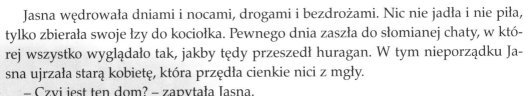

Jasna wzięła się do pracy, starannie i szybko posprzątała cały dom, a potem poprosiła:

– Jestem bardzo zmęczona, matko. Czy mogłabym przespać się tej nocy koło pieca?

– Możesz – odrzekła kobieta – ale uprzedzam, kiedy wróci mój syn, będzie bardzo zły. Nie lubi nieproszonych gości.

Jasna nie bała się północnego wiatru. Wiedziała, że to on porwał jej miłego, i może wskazać jej drogę do niego. Spała tylko kilka godzin. Ledwie wstała, północny wiatr wrócił z dalekiego świata.

– Kto posprzątał dom? Kto spał pod piecem? – zapytał srogo, ale na widok Jasnej uśmiechnął się.

– To ja posprzątałam – odrzekła dziewczyna. – I chcę cię prosić, abyś pomógł mi odnaleźć ukochanego.

Wiatr zakręcił się po izbie, chwycił trochę nici z mgły, porwał Jasną i tyle ich widzieli.

Lecieli bardzo długo, aż przylecieli nad czerwone morze. Wtedy wiatr wskazał Jasnej majaczący w oddali ląd.

– To jest Gęsia Wyspa – powiedział. – Tam znajdziesz swego miłego, ale strzeż się, bo jest on w mocy strasznej wiedźmy Dujawicy.

Na wielkiej łące, nieopodal zamku, ustawiono przystrojone zielenią stoły z poczęstunkiem dla wielu gości. W ich pobliżu wiatr zostawił Jasną.

Wśród stołów uwijała się służba i barwne rycerstwo. Nieopodal pachołkowie czyścili i stroili konie, prowadzili powozy dla dam, pokrzykiwali i wymachiwali kolorowymi wstęgami.

Jasna podeszła do jednej z gęsiarek i zapytała:

– Co to za święto? Bal czy wesele?

– To wiedźma Dujawica wydaje się za mąż za czarnowłosego młodzieńca – odrzekła młoda gęsiarka.

Serce Jasnej zadrżało z lęku. Przecież nie po to szła z tak daleka, żeby patrzeć teraz, jak jej miły żeni się z wiedźmą. Podeszła pod zamek i stanęła w pobliżu bramy. Chciała wszystko lepiej widzieć, kiedy się zacznie uroczystość.

Po jakimś czasie pojawiła się Dujawica w bogatej sukni z welonem. Była stara i pomarszczona, miała długie, czerwone szpony i sowi nos. Za Dujawicą szedł czarnowłosy młodzieniec w weselnej szacie. Szedł jakby spał, jakby nie widział świata. Głowę miał uniesioną wysoko i oczy zamknięte. Prowadzili go dwaj paziowie, bo sam pewnie nie trafiłby do powozu.

Jasna właśnie na tę chwilę czekała. Kiedy jej miły przechodził obok, zaśpiewała:
„Pomnij, com ci obiecała, gdym ze studni wodę brała...".

Młodzieniec przetarł oczy i powiódł po zebranych nieprzytomnym spojrzeniem.

– Kto to śpiewa... Kto to jest... – zapytał cicho.

Jasna zaśpiewała jeszcze raz. Wtedy wreszcie dojrzał ją w tłumie, podszedł i ukląkł przed dziewczyną. A ona przestała płakać, podała młodzieńcowi kociołek pełen swoich łez i spryskała mu oczy. Zły czar prysł, a młodzieniec przytulił Jasną do piersi, a potem odwrócił się do wszystkich i zawołał:

– Oto miła moja! Wybawicielka moja! Jej miejsce jest przy mnie, a tej tam...

Nie dokończył, bo wiedźma rzuciła się na niego z pazurami:

– Ty klękasz przed gęsiarką! Ty wolisz byle dziewuchę...! – wołała.

A im głośniej krzyczała, tym bardziej malała i okrywała się piórami. Zanim się spostrzegł ktokolwiek, zamieniła się w sowę i odleciała.

Wśród gromady gapiów i gęsiarek rozległy się okrzyki radości. Po chwili cały tłum tańczył i wiwatował na cześć młodej pary. Wszyscy mieszkańcy Gęsiej Wyspy nienawidzili złej wiedźmy i teraz cieszyli się, że zniknęła.

I wtedy na wiwatujący tłum opadła zimna mgła. Rozległ się świst i gwizd. Pod zamek zajechał wiatrowy powóz, którym powoził sam północny wiatr. Zabrał młodych do środka i powiózł do wioski, gdzie został stary ojciec i siostry Jasnej.

Powitaniom i opowieściom nie było końca. Młodzi zostali w wiosce przez kilka dni, żeby nacieszyć się rodziną. Po zaślubinach Jasna oddała żelazne trzewiczki kowalowi do przetopienia, a potem wsiadła do wiatrowego powozu i wróciła ze swoim mężem do zamku na Gęsiej Wyspie. Tam żyli długo i szczęśliwie.

O CUDOWNYM DĘBIE

Dawno, dawno temu, pewien stary, niedobry król miał prześliczną córkę, której nie kochał. Dręczył ją, straszył i zmuszał do ciężkiej pracy. Służba pałacowa litowała się nad biedną królewną, ale król bardzo surowo karał za okazaną jej dobroć. Wielu dworzan i wiele pokojówek wtrącił do lochu za to, że coś dobrego zrobili dla królewny. Pewnego zimowego dnia królewna nie mogła już znieść kolejnej awantury. Wdziała na siebie barani kożuszek, jakim zwykle okrywają się wieśniacy, i poszła w świat szukać służby u dobrych ludzi.

Trafiła do dworu pewnej kasztelanowej. Nie było jej łatwo, całe dnie musiała ciężko pracować w kuchni. Na szczęście, znała się na kuchennej pracy. Każdego dnia gotowała i szorowała garnki. Przebierała kaszę z grochem i mak z soczewicą. Dopiero późnym wieczorem miała chwilę dla siebie. Przysiadała wtedy na zydelku i karmiła parę gołębi, które przylatywały do niej, by się pożywić i pocieszyć ją.

Kasztelanowa miała syna, młodego kasztelanica, który całymi dniami jeździł konno lub polował. Dla matki bywał opryskliwy, dla służby niegrzeczny, a biednym nigdy nie dawał jałmużny, choć srebrnego grosza miał przy sobie dość. Kiedy się dowiedział o nowej dziewczynie najętej do pracy, przyszedł ją obejrzeć. Zobaczył tylko tyle, że dziewczyna chodziła w kożuszku. Nazwał ją więc Baranim Kożuszkiem i potem już wszyscy, także kasztelanowa, tak nazywali królewnę.

Królewnie to nie przeszkadzało. Była nawet zadowolona, że nikt nie poznał, kim była naprawdę.

Pewnej niedzieli kró-
lewna zapragnęła pójść do kościoła. Poprosiła kasztelanową
o zgodę, a kasztelanowa i owszem,
pozwoliła, ale pod warunkiem że wykona dodatkową pracę.

– Masz tu miskę maku z popiołem do przebrania. Jak to
zrobisz, Barani Kożuszku, to sobie pójdziesz do kościoła – powiedziała, wsiadła do karety i pojechała do miasta.

Królewna usiadła nad miską maku. Chciało jej się płakać, bo
praca to była ponad ludzkie siły, ale wtedy przyleciały jej ukochane gołębie
i prędko pomogły jej przebrać mak. Pracowały dziobkami, wachlowały
skrzydłami i już po godzinie było przebrane.

– A teraz chodź za nami, kochaneczko, pod stary dąb – zagruchały gołębie i zaprowadziły królewnę na skraj lasu, gdzie w dąbrowie rosło
stuletnie, rozłożyste drzewo.

Pod dębem kłusował konno młody kasztelanic. Szukał biczyka,
który mu upadł na ziemię. Królewna prędko odnalazła biczyk wśród
wysokiej trawy i podała kasztelanicowi. Ten nawet nie podziękował.
Wziął biczyk, spiął konia i odjechał.

Gdy kasztelanic zniknął w gęstwinie, gołębie usiadły na gałęzi
i wesoło zagruchały:

– Stary dębie otwórz się i użycz nam swych darów!

W starym dębie pojawiła się dziupla, a w tej dziupli drzwi. Drzwi się otworzyły
i wypadły z nich bogate szatki, wstążki, korale i złote
trzewiczki dla królewny.

– Coś podobnego! – zawołała zdumiona królewna. –
To wszystko dla mnie!?

– Dla ciebie, dla ciebie... – powie-
działy gołębie i kazały tylko wieczorem odnieść szaty drzewu.

Królewna podziękowała gołębiom
i obiecała oddać wszystko na czas.
Potem przebrała się pięknie, a kiedy
była już gotowa, zajechał po nią
złoty powóz i zawiózł do kościoła.

W kościele wszyscy przyglądali się królewnie z podziwem. Kasztelanowa chciała usiąść obok niej i uśmiechała się przymilnie, a młody kasztelanic bardzo chciał wiedzieć, skąd przybyła piękna nieznajoma.

– Gdzie jest twój dom, piękna pani? – pytał.

Królewna nie wiedziała, co odpowiedzieć i w końcu powiedziała to, co jej pierwsze na myśl przyszło:

– Jestem z Podniesionego Biczyka.

Kasztelanic długo się zastanawiał, gdzie leży miasteczko Podniesiony Biczyk, ale w końcu dał za wygraną i odjechał. Królewna odniosła swoje szaty do cudownego dębu, podziękowała mu pięknie i wróciła do pracy. Następnej niedzieli spracowana królewna znów chciała iść do kościoła, by się pomodlić i poprosiła kasztelanową o zgodę.

– Masz tu dwie miski maku z popiołem. Jak je przebierzesz, Barani Kożuszku, to możesz iść – powiedziała dumna kasztelanowa, wsiadła do karety i pojechała do miasta.

I znów pochyliła się królewna nad miskami, ale nawet nie zdążyła się zasmucić, bo dwa gołąbki usiadły jej na kolanach i od razu wzięły się do pracy. Pracowały dziobkami, wachlowały skrzydłami i po upływie zaledwie godziny mak był przebrany.

Królewna podziękowała ptaszkom i pobiegła do cudownego dębu. Pod dębem kłusował konno młody kasztelanic i szukał pierścienia, który spadł mu z palca. Królewna znalazła pierścień, który leżał na pachnącym mchu i podała kasztelanicowi. Ten znów nie podziękował, tylko wziął pierścień i odjechał, ani razu nie oglądając się za siebie.

Cudowny dąb obdarował królewnę jeszcze piękniejszymi szatami niż poprzednio. Kiedy się przebrała, zajechał po nią złoty powóz i zawiózł do kościoła. I znów wszyscy podziwiali piękną nieznajomą. Po modlitwach młody kasztelanic podszedł do niej i zapytał:

– Powiedz jeszcze raz, skąd jesteś, piękna pani, gdzie twój dom, gdzie rodzice?

– Ze Zgubionego Pierścienia – odrzekła.

Więcej nic nie dodała, tylko wsiadła do powozu i odjechała.

Nadeszła wiosna, a wraz z nią słoneczne ciepło. Królewna przestała się okrywać kożuszkiem, wszyscy to zauważyli, ale i tak dalej nazywali ją Baranim Kożuszkiem. Pracy miała coraz więcej, jak to wiosną bywa. A kasztelanowa przygotowywała dom do świąt wielkanocnych, bo miała zamiar zaprosić wielu gości.

Na Wielkanoc pozwoliła całej służbie iść do kościoła i nie stawiała już żadnych warunków. Królewna pobiegła do cudownego dębu i poprosiła, by się otworzył i użyczył jej swych darów. Tym razem nie spotkała kasztelanica na koniu. Za to od dębu otrzymała jeszcze piękniejsze szaty niż poprzednio i zajechał po nią powóz jeszcze strojniejszy niż dawniej.

Tymczasem kasztelanic zwierzył się matce:

– Bardzo mi się podoba ta panna, która przyjeżdża czasem do kościoła tak strojnie i elegancko. Pewnie jest damą ze znamienitego rodu, ale nie chce się przyznać, skąd tak naprawdę pochodzi – dwa razy podawała mi nazwę miejscowości, ale żadnej z nich nie odnalazłem, choć szukałem wszędzie.

– Jeśli chcesz ją odnaleźć, zastaw na nią pułapkę. Rozlej smołę pod drzwiami kościoła – poradziła kasztelanowa.

– Po co miałbym to robić, matko? – spytał zdziwiony młody kasztelanic.

– Jeśli panna zgubi trzewiczek, będziesz mógł odnaleźć jego właścicielkę – odrzekła sprytna kasztelanowa.

Kasztelanic posłuchał dobrej rady i zanim msza się skończyła i ludzie zaczęli się rozchodzić, wymknął się z kościoła i rozlał pod drzwiami beczkę smoły. W czasie mszy przez cały czas wpatrywał się w rumiane oblicze królewny. Zdawało mu się, że skądś zna tę śliczną buzię, ale nie mógł sobie przypomnieć, skąd. Po mszy czekał, aby podejść do niej i porozmawiać, ale piękna panna prędko wsiadła do swego wspaniałego powozu i odjechała.

Widać panna rzeczywiście bardzo się śpieszyła, bo nawet nie zauważyła czarnej kałuży pod drzwiami. Nie zauważyła też, że jeden z jej złotych pantofelków przywarł do smoły. Kasztelanic podniósł go z ziemi i oglądał rozmarzonym wzrokiem. Tak małego i zgrabnego trzewiczka nigdy jeszcze nie widział.

Królewna wróciła do cudownego dębu i zwróciła powóz. Potem przebrała się w swoją codzienną sukienkę i oddała też strojne szaty. Jednak dąb nie chciał przyjąć z powrotem jednego bucika. Odrzucił go na murawę i zamknął dziuplę.

Biedna dziewczyna nie wiedziała, gdzie zgubiła złoty pantofelek. Ten jeden, który został pod dębem, wzięła ze sobą, troskliwie zawinęła w czyste płótno i ukryła w kuchni za piecem.

Wieczorem młody kasztelanic wyszedł przed dom i stanął pod krzakiem kwitnącego bzu. A na tym krzaku, wśród liści, dwa gołębie uwiły sobie gniazdo i, siedząc w nim, słodko gruchały tak:

– Nasz Barani Kożuszek zgubił pantofelek, grruchuuu...

– Jak myślisz, co będzie, gdy się kasztelanic dowie, że zgubiony trzewiczek należy do Baraniego Kożuszka, grruchuu?

– Na pewno będzie wesele, grrruchuuu...

Słysząc to, kasztelanic czym prędzej pobiegł do kuchni i kazał dziewczynie przymierzyć pantofelek. Królewna ucieszyła się, że znalazł się drugi od pary i prędko sięgnęła za piec. Po chwili miała na nogach oba pantofelki, pasujące jak ulał.

Kasztelanicowi zrobiło się wstyd, że tak niegrzecznie zachował się wobec królewny, gdy była służącą. Przeprosił ją i zaprowadził na pokoje, bo chciał przedstawić matce swą ukochaną.

Królewna zgodziła się zostać żoną kasztelana.

Po świętach odbyło się wesele, na które zaproszono także starego króla. Król poprosił córkę o wybaczenie, że przez tyle lat był złym ojcem. Oddał młodym pół królestwa i dołożył złotą karetę. Państwo młodzi zamieszkali w starym zamku i żyli tam długo i szczęśliwie.